RYERSON UNIVERSITY
Loblaws
AT MAPLE LEAF GARDENS
BMO
Piller's
Holiday Inn
Toronto Downtown Centre
MOLSON
CANADIAN
RYERSON
RAMS

150 Stories Published in conjunction with the exhibition *150 Stories*, February 2017

Office of the Lieutenant Governor of Ontario
Queen's Park, Toronto, Ontario, Canada M7A 1A1
www.lgontario.ca

Curator/designer: Debi Perna Editor: John McGrath Translators: Larocque Linguistic Services Inc.
Printed on 100% recycled paper in Canada by C.J. Graphics Inc.

ISBN 978-1-4606-9242-4 (Print) 978-1-4606-9243-1 (PDF) 978-1-4606-9244-8 (HTML)

---

150 récits Publié à l'occasion de l'exposition *150 récits*, février 2017

Bureau de la lieutenante-gouverneure de l'Ontario
Queen's Park, Toronto (Ontario) Canada M7A 1A1
www.lgontario.ca

Direction/conception : Debi Perna Édition : John McGrath Traduction : Les services linguistiques Larocque inc.
Imprimé au Canada sur du papier 100 % recyclé par C.J. Graphics Inc.

ISBN 978-1-4606-9242-4 (version imprimée) 978-1-4606-9243-1 (PDF) 978-1-4606-9244-8 (HTML)

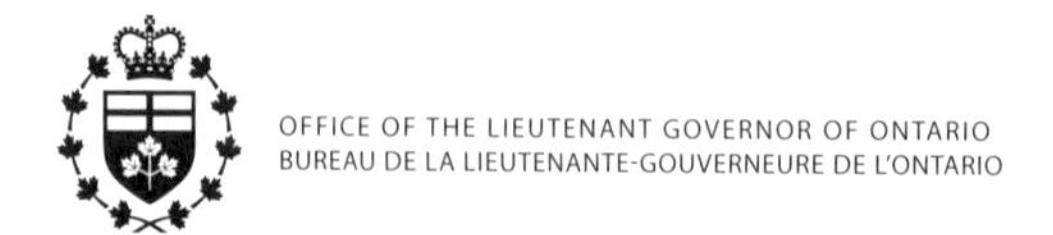

150 stories | récits

OFFICE OF THE LIEUTENANT GOVERNOR OF ONTARIO
BUREAU DE LA LIEUTENANTE-GOUVERNEURE DE L'ONTARIO

FOREWORD | AVANT-PROPOS | ELIZABETH DOWDESWELL

We all have stories.

For distinct individuals, each story recalls an experience that has left an impression — one of happiness or tragedy, of humour or of insight. Collectively these myriad diverse stories give us meaning, through which our personal, family, and community identities are formed.

I often call myself Ontario's Storyteller-in-Chief. As I travel throughout this province, it has been a privilege to hear of your successes, hopes, and challenges. Those accounts, together with the stories and images in this volume, speak so eloquently about what it means to be a Canadian in this province.

The stories say something quite profound about identity. They articulate the importance of place — whether it be the evolving urban landscape or the majesty of the natural world. They consider what we owe to our roots and how we aspire to transcend our current circumstances. They reveal our generosity and our desire to help others in this world. They speak of building community, respect for diversity, and the work that must continue to achieve genuine social cohesion. They remind us of our obligations as citizens and the imperative to serve as responsible stewards of the resources we have been given.

There are some gaps. The oral histories of Indigenous Peoples, who have cared for these lands for millennia, are often hard to find within the narrative of a society that has favoured the written word. So too the stories of the marginalized, whether economically or socially, are all too often overlooked and, at times, resisted. And the tales of many of the newest members of the Ontario family are still finding their place within our collective consciousness.

Throughout this year 2017, we will celebrate the 150th anniversary of Confederation and Ontario's role as a founding province of Canada. What better time to record and reflect upon who we are?

It is my hope that by actively listening to our stories we can become more aware of and better understand each other and, in turn, create the communities and country of which we can be proud. May this exercise of thoughtful and peaceful engagement be our gift to the future and perhaps a legacy to the world at large.

The Hon. Elizabeth Dowdeswell, OC, OOnt is the Lieutenant Governor of Ontario.

IMAGE | Edward Burtynsky, 2015. *The Living Flag (detail), page 1* | *Le drapeau vivant (détail), page 1*

Nous avons tous une histoire à raconter.

Sur le plan individuel, chaque histoire rappelle une expérience heureuse ou tragique, drôle ou introspective. Ces histoires, toutes aussi variées les unes que les autres, donnent un sens à notre existence et façonnent notre identité personnelle, familiale et communautaire.

Je m'attribue souvent le rôle de conteuse principale de l'Ontario. Au cours de mes voyages partout dans la province, j'ai eu le privilège de vous entendre parler de vos réussites, de vos espoirs et de vos défis. Ces témoignages, de même que les récits et images contenus dans cet ouvrage, expriment avec beaucoup d'éloquence ce que signifie être Canadien en Ontario.

Ces récits sont une réflexion profonde sur notre identité et soulignent l'importance des lieux — qu'il s'agisse du milieu urbain en constante évolution ou des paysages majestueux. Ils nous font réaliser notre héritage et nous montrent comment transcender nos réalités actuelles. Ils révèlent notre générosité et notre désir d'aider les autres. Ils parlent de renforcement des collectivités, de respect de la diversité et du travail que nous devons continuer d'accomplir pour créer une véritable cohésion sociale. Enfin, ces témoignages nous rappellent nos obligations de citoyens et la nécessité d'agir comme gestionnaires responsables des ressources.

Il existe toutefois des écarts. Les récits verbaux des peuples autochtones qui, depuis des millénaires, prennent soin de ces terres sont souvent difficiles à trouver dans une société qui encourage l'écriture. Il en est de même pour les récits des populations marginalisées économiquement ou socialement, qui passent trop souvent sous silence et sont parfois réfutés, tout comme les récits de nombreux nouveaux membres de la grande famille de l'Ontario, qui tentent de se tailler une place dans notre conscience collective.

Tout au long de 2017, nous célébrerons le 150e anniversaire de la Confédération et soulignerons le rôle de l'Ontario à titre de province fondatrice du Canada. C'est le moment idéal pour raconter notre histoire et réfléchir à ce que nous sommes.

J'espère qu'en écoutant activement les récits de notre histoire, nous pourrons mieux nous connaître et nous comprendre afin de continuer de bâtir ces collectivités et ce pays dont nous sommes fiers. Que cet engagement réfléchi et pacifique soit notre cadeau pour les générations à venir et, peut-être, une partie de l'héritage que nous laisserons au monde entier.

L'honorable Elizabeth Dowdeswell, OC, OOnt est la lieutenante-gouverneure de l'Ontario.

INTRODUCTION | BILL DAVIS

The challenge for our one hundred and fiftieth birthday is to understand and reflect on how we got here — what we have achieved and have yet to achieve in Ontario, the province we love.

Ontario's story is one of the success of diversity, and how the mix of different cultures and countries of origin, and rural and urban communities, has evolved and grown. Two core freedoms have driven immigrants to come here for at least three centuries: the freedom from fear and the freedom from want have made Ontario strong, competitive, humane, and productive. Through wars and depressions, global instability, and uncertainty, Ontario has been a rock of decency and opportunity.

We are more inclusive and embracing of diversity than we were fifty years ago. My own home of Brampton was a largely rural and Protestant town. Now we have become a pulsing vibrant multi-racial city, where many colours, accents, and religions shape a cultural richness and opportunity that was unfathomable a few decades ago.

In 2017 we should certainly celebrate our achievements in the arts and sciences, in agriculture and on the factory floor, and in high-tech startups. But this does not mean being triumphal about the achievements of today or being complacent about tomorrow. This is not about perfection, but about never giving up in our continuing quest for a community where fairness, security, opportunity, and freedom mutually support and reinforce each other. Focusing on the most pressing needs of those less fortunate has never mattered more.

The people of Ontario have been on a remarkable journey, from the First Nations who began our community, to those who stood against the invaders in the War of 1812, to the waves of immigrants who made us strong and resilient. What I have seen at home and across the province has not been perfect. But when compared with other parts of the world, it is truly exemplary of much that is good.

The traditional "Two Freedoms" promise of Ontario over the last one hundred and fifty years has benefitted millions of people. But the real promise of Ontario is still very much ahead of us. There can be no stronger message from the celebrations of 2017.

The Hon. William G. "Bill" Davis, PC, CC, OOnt, QC served as the eighteenth Premier of Ontario (1971–1985).

IMAGE | Lucas Oleniuk, Toronto Star. *Brampton, 2005*

Le défi pour notre 150e anniversaire est de comprendre notre parcours, de réfléchir à ce que nous avons accompli et ce qu'il nous reste à faire en Ontario, la province que nous aimons.

L'Ontario est une histoire de réussite de la diversité et de l'évolution de la mixité de différents pays d'origine et de cultures, et de collectivités rurales et urbaines. Deux libertés de base ont incité les immigrants à venir ici depuis au moins trois siècles : la liberté de vivre à l'abri de la peur et du besoin ont rendu l'Ontario fort, compétitif, humain et productif. À travers des guerres et des dépressions, l'instabilité mondiale et l'incertitude, l'Ontario a été un rocher de décence et de possibilités.

Nous sommes plus inclusifs et plus ouverts à la diversité que nous l'étions il y a 50 ans. Ma ville de Brampton était alors largement rurale et protestante. Aujourd'hui, c'est une ville multiraciale dynamique et vibrante, où de nombreux accents, couleurs et religions façonnent une richesse culturelle et des possibilités inimaginables il y a quelques décennies.

En 2017, nous devrions certes célébrer nos réalisations en matière d'arts et de sciences, d'agriculture et de production industrielle, ainsi que de démarrages d'entreprises de haute technologie, et ce, sans être triomphalistes des réalisations d'aujourd'hui ou complaisants de celles de demain. Il ne s'agit pas de perfection, mais de tenir bon. Il faut continuer à viser une société où l'équité, la sécurité, les possibilités et la liberté sont primordiales, sans oublier d'aider ceux qui ont moins de chance dans la vie.

L'Ontario a connu un parcours remarquable — des Premières Nations à ceux qui se sont battus pendant la guerre de 1812, aux vagues d'immigrants qui nous ont rendus forts et résilients. Ce que j'ai vu dans mon quartier et à l'échelle de la province n'est pas parfait, mais par comparaison à d'autres régions du monde, c'est un exemple de beaucoup de bonnes choses.

La promesse traditionnelle de « deux libertés » de l'Ontario au cours des 150 dernières années a bénéficié à des millions de personnes. Toutefois, la promesse réelle de l'Ontario reste en grande partie devant nous. Il ne peut pas y avoir de message plus fort qui émane des célébrations de 2017.

L'honorable William G. « Bill » Davis, cp, CC, OOnt, cr a été le 18e premier ministre de l'Ontario de 1971 à 1985.

150 | A place to grow
Un lieu où s'épanouir

1 | ANNE MICHAELS

From our bed we listen to the trains crossing the city, their dark weight slipping through back gardens. We sleep between Hudson's Bay and the Great Lakes, below geese migrating their secret paths under the stars. Here, where great rivers of history converge, travelling through the night to wake in another language. It is a city where many work in one language and dream in another, sing children to sleep in a language they do not speak. To be born in one language and fall in love in another. To sleep in one landscape and wake in another. These great transporting rivers of language converge where we live, here, where there are more than 150 words for loneliness, for shelter, for wounds, for fear, for forgetting, for memory, for gratitude. For night and for morning.

Anne Michaels is Toronto's Poet Laureate. Her books have been published in over forty-five countries.

De notre lit, nous entendons au loin les trains traverser la ville, le son du frottement des roues sur les rails. Nous dormons entre la baie d'Hudson et les Grands Lacs, juste au-dessous des oies qui migrent, sous les étoiles, vers des lieux secrets. Ici, à la jonction des grands fleuves de l'histoire, le passage de la nuit au jour nous transporte dans une autre langue. C'est une ville où beaucoup travaillent dans une langue et rêvent dans une autre, chantent des berceuses dans une langue qu'ils ne parlent pas. On naît dans une langue et on tombe amoureux d'une autre. On s'endort sous un ciel et on se réveille sous un autre. Ces grands fleuves qui nous font passer d'une langue à l'autre convergent ici, où nous vivons, où nous utilisons plus de 150 mots pour parler de solitude, de refuge, de blessures, de peur, d'oubli, de mémoire, de gratitude. De nuit et de matin.

Anne Michaels est la poétesse officielle de Toronto. Ses recueils sont publiés dans plus de 45 pays.

IMAGE | Pamela Julian. *Dusk in Toronto* | *Crépuscule à Toronto*

2 | CETA RAMKHALAWANSINGH

Growth, change, opportunity, dialogue, compromise, respect, inclusion, and innovation are among the hallmarks of my experience of living in Ontario for the past fifty years.

During Canada's centennial year, our family came to Ontario from our wonderful home in Trinidad and Tobago — land of calypso, steelpan and mas. Charles and Mamin wanted opportunities for their three children — Titus, Ceta, and Luna. They had every confidence that our new home in Toronto would be a "place to grow".

The promise was kept. Ontario's first-class education system equipped me to be fully engaged as volunteer, city builder, feminist, student, university lecturer, researcher, human rights advocate, publisher, student leader, public servant, city councillor.

Now, our Ontario home includes our Trini home with annual celebrations of Caribbean Carnival, introduced during Canada's centennial year — full circle. And yes, Ontario's cultural experiences are more diverse than ever.

The promise continues...

Ceta Ramkhalawansingh is a community activist and former civil servant who immigrated to Canada in 1967.

Croissance, changement, possibilités, dialogue, compromis, respect, inclusion, et innovation, autant de mots qui traduisent mon expérience de l'Ontario depuis 50 ans.

Pendant le centenaire du Canada, notre famille a quitté notre merveilleuse patrie de Trinidad et Tobago — terre du calypso, du steelpan et du mas, pour s'installer en Ontario. Charles et Mamin voulaient ouvrir les horizons de leurs trois enfants — Titus, Ceta et Luna. Ils étaient certains que Toronto nous offrirait un lieu « où grandir ».

La promesse a été tenue. Le système d'éducation de première classe de l'Ontario m'a donné la capacité de devenir une citoyenne engagée — bénévole, urbaniste, féministe, étudiante, professeure d'université, chercheure, militante pour les droits de la personne, éditrice, leader étudiante, fonctionnaire, conseillère municipale.

Maintenant, notre patrie ontarienne célèbre notre culture d'origine grâce aux festivités annuelles du carnaval des Caraïbes, mis en place pendant l'année du centenaire du Canada — la boucle est bouclée. En somme, l'Ontario offre une culture plus diversifiée que jamais.

La promesse n'en finit pas d'être tenue...

Ceta Ramkhalawansingh est une militante communautaire et une ancienne fonctionnaire qui a immigré au Canada en 1967.

IMAGE | Steve Russell, Toronto Star. *Ceta Ramkhalawansingh, top* | *en haut*

3 | ROBERTA JAMIESON

I treasure growing up among my people at the Six Nations of the Grand River Territory. And vividly recall living without running water, including the long walk to the outhouse on a snowy day; memories of skating on the Mackenzie Creek and picking strawberries in June. I had what some described as an "attitude problem". I simply could not accept those who tried to tell me, "You don't count. You can't make a difference." I couldn't understand why our people should accept all those outside people coming to our territory to tell us how to live or to make decisions for us. I saw raw colonialism and I knew from an early age that I was going to do something to change it. I have worked my entire life to build a Canada in which Indigenous people can once again find their rightful place. There is more work to be done.

Roberta Jamieson, OC is a lawyer, Indigenous activist, and member of the Six Nations of the Grand River.

Je garde un précieux souvenir d'avoir grandi au sein de mon peuple sur la Territoire des Six Nations de la rivière Grand. Je me souviens vivement d'avoir vécu sans eau courante, ainsi que de la longue marche jusqu'à la toilette extérieure lors des jours enneigés. J'ai des souvenirs d'avoir patiné sur le ruisseau Mackenzie et a cueilli des fraises en juin. J'avais, selon certains, un « problème d'attitude ». Je n'acceptais tout simplement pas ceux qui essayaient de me dire : « tu ne comptes pas ». « Tu ne peux pas faire de différence ». Je ne comprenais pas pourquoi notre peuple devait accepter que toutes ces personnes de l'extérieur viennent sur notre territoire et nous disent comment vivre ou prennent des décisions pour nous. J'ai vu le colonialisme brut et je savais dès mon jeune âge que j'allais faire quelque chose pour apporter des changements. J'ai travaillé toute ma vie à bâtir un Canada où les peuples autochtones peuvent retrouver la place qui leur revient. Il reste encore du travail à faire.

Roberta Jamieson, OC, membre des Six Nations du territoire de la rivière Grand, est une avocate et militante autochtone.

IMAGE | Kenneth Ginn. *Outdoor skating, bottom left 13* | *Patinage à l'extérieur, en bas à gauche 13*

4 | BRIGITTE SHIM

Like most Ontarians, I was born somewhere else. My Hakka Chinese parents and all of my siblings were born on the sunny tropical Caribbean island of Jamaica. Upon arriving in Canada, we stepped off the airplane and quickly descended into a gigantic freezer.

A few days later, a February blizzard hit Toronto and I caught my first glimpse of snow. The dull urban fabric magically transformed into a winter wonderland overnight. My first snow angel has long since melted but the extraordinary experience of being enveloped by little teeny snowflakes which, when multiplied, have the capacity to create mountain ranges for tobogganing, as well as armies of snowmen, still resonates with me.

Experiencing snow for the first time as a child has left an indelible mark on me, and it is somehow connected to my deep respect for and appreciation of our remarkable Canadian landscape.

Brigitte Shim, CM is a Principal with Shim-Sutcliffe Architects and teaches architecture at the University of Toronto.

Comme la plupart des Ontariens, je suis née ailleurs. Mes parents chinois hakka et tous mes frères et sœurs ainsi que moi-même sommes tous nés dans une île tropicale ensoleillée des Caraïbes : la Jamaïque. À notre arrivée au Canada, lorsque nous sommes descendus de l'avion, nous avons eu l'impression de nous engouffrer dans un gigantesque congélateur.

C'était le mois de février, et quelques jours plus tard, une tempête hivernale a frappé Toronto, et j'ai fait connaissance avec la neige pour la toute première fois. Le morne tissu urbain s'était transformé par magie en féerie hivernale du jour au lendemain. Mon premier ange dans la neige a fondu depuis longtemps, mais l'extraordinaire sensation d'être enveloppée par tous ces minuscules flocons qui, rassemblés, peuvent devenir des pistes de luge ou des armées de « bonshommes » de neige, m'enchante encore aujourd'hui.

Découvrir la neige pour la première fois lorsque j'étais enfant a laissé une marque indélébile en moi, et c'est une des raisons qui expliquent pourquoi j'ai un profond respect et une grande appréciation pour notre remarquable paysage canadien.

Brigitte Shim, CM est une associée du cabinet Shim-Sutcliffe Architects et enseignante en architecture à l'Université de Toronto.

IMAGE | James Dow. *Orchard House, Shim-Sutcliffe, bottom right* | *en bas à droite*

5 | NINA LEE AQUINO

In 1994, we were living in the Philippines when my mom (a diplomat) got her next out-of-country assignment: Toronto, Canada. I was seventeen years old, about to go into a prestigious university. I suppose I should have been terrified with the idea of uprooting myself but, as the daughter of a diplomat, I'd never gotten attached to any one place; it was something that I was taught, a way to stay rooted for the rootless.

But all that changed when I arrived in Ontario. Walking through Pearson Airport, something felt different. Even though I didn't know what life had in store for me in this country, inexplicably, there were a few things I knew instantly. I remember saying to myself: "This is where I'm going to build my career, find the love of my life, have a family and raise my child... this is going to be, finally, my home."

Nina Lee Aquino is the Artistic Director of Factory Theatre.

En 1994, nous habitions aux Philippines lorsqu'on a annoncé à ma mère, une diplomate, l'endroit de sa prochaine affectation hors pays : Toronto, Canada. J'avais 17 ans et j'étais sur le point d'entrer dans une prestigieuse université. J'imagine que la perspective de ce déracinement aurait dû me terroriser, mais, en tant que fille de diplomate, je ne m'étais jamais vraiment attachée à un endroit : on m'avait appris cela, cette façon pour les nomades de s'implanter sans s'attacher.

Or, tout cela a changé lorsque je suis arrivée en Ontario. Lorsque j'ai marché dans l'aéroport Pearson, j'ai ressenti quelque chose de différent. Même si j'ignorais complètement ce que la vie me réservait dans ce pays, j'ai tout de suite su certaines choses sans pouvoir l'expliquer. Je me souviens m'être dit : « C'est ici que je vais entreprendre ma carrière, trouver le grand amour, fonder une famille et élever mes enfants... bref, ce sera chez moi. »

Nina Lee Aquino est la directrice artistique du Factory Theatre.

IMAGE | GTAA. *Pearson Airport, top left* | *en haut à gauche*

Gates Portes

6 | EMMANUEL KABONGO

If I could describe Ontario in three words: diversity, opportunity, freedom. I grew up in South Africa where I don't remember meeting people from other parts of the world, except when watching television shows or movies. When I moved here and started attending school, I was surprised to see so many different faces. It was my first time encountering people of mixed races, different cultures, religious beliefs, and sexual orientations, and this gave me a sense of comfort and freedom to be who I am. Living in Ontario, I feel lucky to have been given so many opportunities to advance in what I am passionate about, whether it be receiving grants, scholarships, or various employment opportunities. It is in Ontario that I began my acting career and, no matter where I go, I will always be grateful for my humble beginnings. Being here really changed my life and I'm glad and fortunate to be living in Ontario.

Emmanuel Kabongo, an actor and producer, grew up in South Africa and moved to Canada with his family in 1998.

Si je pouvais décrire l'Ontario en trois mots, j'utiliserais : diversité, possibilité, liberté. J'ai grandi en Afrique du Sud où je ne me souviens pas d'avoir vu des gens provenant d'autres pays du monde, sauf lorsque je regardais des émissions de télévision ou des films. Quand j'ai déménagé ici et que j'ai commencé à fréquenter l'école, j'ai été surpris de voir autant de visages différents. C'était la première fois que je rencontrais des gens de diverses ethnies, cultures, croyances religieuses et orientations sexuelles, et cela m'a donné un sentiment de réconfort et de liberté d'être qui je suis. En tant que résident de l'Ontario, je me trouve chanceux d'avoir eu autant de possibilités de foncer vers ce qui me passionne, qu'il s'agisse de recevoir des subventions, des bourses d'études ou des diverses possibilités d'emploi. C'est en Ontario que j'ai commencé ma carrière d'acteur et, peu importe où je suis, je serai toujours reconnaissant pour mes débuts modestes. Le fait de vivre ici a vraiment changé ma vie et je suis heureux et privilégié de vivre en Ontario.

Emmanuel Kabongo, acteur et producteur, a grandi en Afrique du Sud et s'est installé au Canada avec sa famille en 1998.

 IMAGE | Courtesy E. Kabongo. *Portrait, top right 17* | Gracieuseté de E. Kabongo. *Portrait, en haut à droite 17*

7 | MARIE HENEIN

We were back and forth between Canada and the Middle East a few times. First Egypt, then Lebanon. Vancouver. Then Toronto twice. The third time, we finally settled in Thorncliffe Park, the first of a few places. Neither my grandmother nor I spoke a word of English. She never learned. I did.

My parents moved to Canada to give their daughter a chance to be. A poet, Christopher Logue, wrote these words:

Come to the edge.
We might fall.
Come to the edge.
It's too high!
COME TO THE EDGE!
And they came,
and he pushed,
And they flew.

We came to the edge. My parents pushed. And because of this country, grounded in decency and fairness to its core, I was allowed to fly.

Marie Henein is a Senior Partner with law firm Henein Hutchinson LLP.

Nous avons fait la navette entre le Canada et le Moyen-Orient à plusieurs reprises. D'abord l'Égypte, puis le Liban. Et Vancouver. Ensuite, Toronto, deux fois. La troisième fois, nous nous sommes installés à Thorncliffe Park où, même là, nous avons déménagé quelques fois. Ni ma grand-mère ni moi ne parlions un mot d'anglais ou de français. Elle n'a jamais appris, mais moi, oui.

Ma famille a déménagé au Canada pour donner une chance à la petite fille que j'étais. Un poète, Christopher Logue, a écrit ces mots :

Approchez vous
Nous pourrions tomber
Venez, approchez vous
C'est trop haut
APPROCHEZ VOUS DONC
Ils y sont allés.
Il les a poussés.
Ils se sont envolés.

Nous, nous sommes allés jusqu'au bord. Et mes parents m'ont poussée. Et grâce à ce pays qui prend racine dans la décence et l'égalité, j'ai pu m'envoler.

Marie Henein est une associée principale de la firme Henein Hutchison LLP.

IMAGE | Vik Pahwa. *Thorncliffe Park, bottom 17* | *en bas 17*

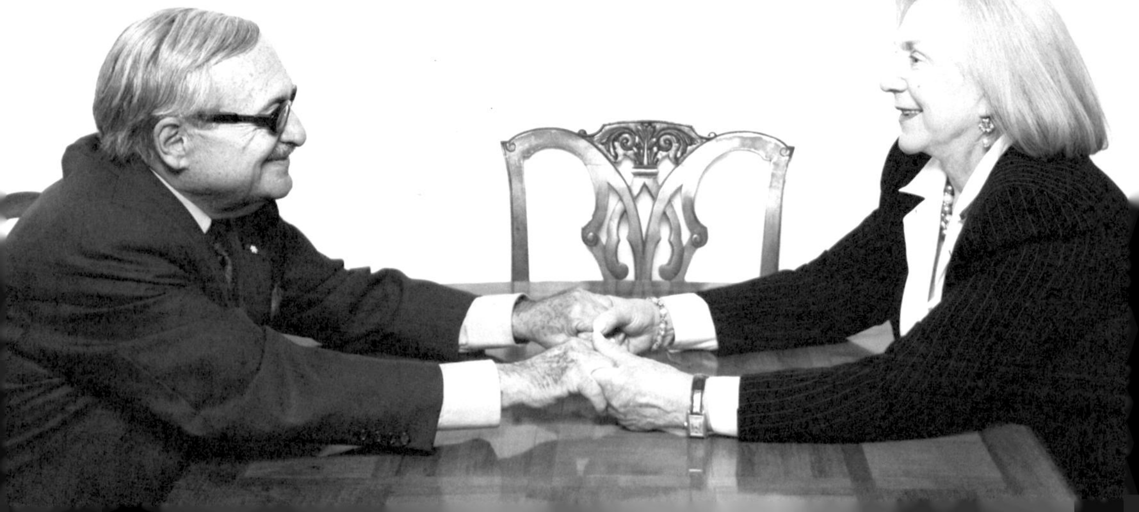

8 | PETER SINGER

My parents, Holocaust survivors, came to Toronto in 1956 as Hungarian refugees. My dad worked as a bootlegging dentist and died when I was eleven. My mom built a successful dental laboratory. She never remarried and as the only parent of an only child, devoted herself to me.

I was privileged to enter Upper Canada College with a scholarship, go to medical school, and attend the University of Chicago, Yale, and Harvard. I helped found a bioethics centre and Grand Challenges Canada, which supports innovation in developing countries, saving and improving millions of lives. I have had a happy twenty-three-year marriage and my kids are flourishing.

Immigration is great for children and hard for parents.

This year my wife and I hosted Syrian refugees in our home — a lovely Yazidi family of four girls, aged seven to thirteen, and their parents.

The cycle renews in this wonderful and welcoming country and province.

Peter Singer, OC is the CEO of Grand Challenges Canada and the Director of the Sandra Rotman Centre, part of the University Health Network.

Mes parents, survivants de l'Holocauste, sont venus à Toronto en 1956. Mon père était dentiste et il est décédé alors que j'avais onze ans. Ma mère a monté un laboratoire dentaire prospère. Elle ne s'est jamais remariée et elle s'est entièrement consacrée à moi.

J'ai eu le privilège d'entrer à l'Upper Canada College grâce à une bourse, de faire des études en médecine, et de fréquenter l'Université de Chicago, Yale, et Harvard. J'ai contribué à Ia fondation d'un centre de bioéthique et de Grands Défis Canada, qui appuie l'innovation dans les pays en développement, sauvant et améliorant ainsi la vie de millions de personnes. Je vis un mariage heureux depuis 23 ans, et mes enfants s'épanouissent.

L'immigration est excellente pour les enfants, et difficile pour les parents. Cette année, mon épouse et moi avons accueilli des réfugiés syriens — une charmante famille yézidie composée de quatre filles âgées de 7 à 13 ans et de leurs parents. Le cycle se renouvelle, dans cette province et ce pays merveilleux et accueillants.

Peter Singer, OC est le directeur général de Grands Défis Canada et le directeur du Sandra Rotman Centre qui fait partie du Réseau universitaire de santé.

IMAGE | Adam Bunch. *Hungarian memorial in Toronto, top left* | *Mémorial hongrois à Toronto, en haut à gauche*

9 | SEVAUN PALVETZIAN

My grandfather Garabed ("Charlie") Palvetzian arrived in Ontario in 1915. He was twelve years old. He, unlike many members of his family, had successfully escaped the Armenian genocide. Canada became home.

His first job earned five cents an hour. Afterward, he'd join my grandmother and their five children, including my father, in the family restaurant.

My grandfather's desire to provide for his family — to see his children and his grandchildren have a better life — was what fueled him. Picking Canada, and it in turn picking him, made this possible. Within one generation the state of poverty was broken. Within two, a passport and multiple degrees became the norm. This trajectory would not be possible in many places around the world. But it is here.

Ontario is where the world gathers.It is where people get to write new chapters into their family's history. I am forever grateful that it includes my own.

Sevaun Palvetzian is CEO of CivicAction, a coalition of civic leaders.

Mon grand-père, Garabed (« Charlie ») Palvetzian, est arrivé en Ontario en 1915. Il avait 12 ans. Contrairement à beaucoup de membres de sa famille, il avait réussi à fuir le génocide arménien. C'est au Canada qu'il a élu domicile.

Son premier emploi lui rapportait 0,05 $ l'heure. Ensuite, il a travaillé au restaurant familial avec ma grand-mère et leurs cinq enfants, dont mon père.

Pourvoir à sa famille et offrir une vie meilleure à ses enfants et petits-enfants, c'est le souhait auquel mon grand-père s'accrochait. Parce qu'il avait choisi le Canada et que le Canada l'avait à son tour choisi, mon grand-père a pu réaliser son souhait. Il a fallu une génération pour se sortir de la pauvreté, et de deux pour que l'obtention d'un passeport et de diplômes multiples devienne la norme — des étapes qui, dans beaucoup de pays du monde, seraient impossibles à franchir. Mais pas ici.

L'Ontario est le lieu de rassemblement de toutes les nationalités. C'est ici que les gens écrivent de nouveaux chapitres de l'histoire de leur famille. Tout comme la mienne, et j'en serai éternellement reconnaissant.

Sevaun Palvetzian est la directrice générale de CivicAction, une coalition de leaders communautaires.

 IMAGE | Courtesy S. Palvetzian. *The author on right, top right 20 | L'auteure apparaît à droite, en haut à droite 20*

10 | HELEN VARI

We came to Canada from Hungary many years ago. My beloved late husband, the Hon. George W. Vari, arrived in the middle of winter in a raincoat with only two dollars.

A student association helping newcomers, gave him five dollars and a winter coat. The president of that association later became one of our longest serving prime ministers, and George turned that five-dollar investment into a brilliant career. He became one of the foremost international specialists in high-rise construction and built all over the world. Among his accomplishments was the Tour Montparnasse, the first skyscraper in Paris and, until very recently, the tallest building in Europe.

Ontario was the best decision we ever made, a place where ethnic, cultural, and religious diversity are strengths. With determination, one will not only succeed professionally, but can contribute to building this wonderful, inclusive community we call home. The sky is the limit! We came here with nothing, Ontario and Canada gave us everything.

Helen Vari, CM is continuing the philanthropic work of her late husband, the Hon. George W. Vari, PC, CM, founder of the George and Helen Vari Foundation.

Nous sommes venus au Canada de la Hongrie il y a de nombreuses années. Mon défunt mari, l'honorable George W. Vari, est arrivé au beau milieu de l'hiver, vêtu d'un manteau de pluie, avec deux dollars en poche.

Une association étudiante lui a donné cinq dollars et un manteau d'hiver. George a transformé ce don en brillante carrière. Il est devenu un grand spécialiste international de la construction d'immeubles. Parmi ses réalisations, notons la tour Montparnasse, le premier gratte-ciel de Paris et, jusqu'à tout récemment, l'immeuble le plus haut de l'Europe.

Venir vivre en Ontario a été la meilleure décision de notre vie. C'est un endroit où la diversité ethnique, culturelle et religieuse est un atout. Avec de la détermination, il est possible non seulement d'y poursuivre une carrière florissante, mais aussi de contribuer à l'édification de cette merveilleuse collectivité inclusive qui est la nôtre. Tout est possible! Nous sommes arrivés les mains vides. L'Ontario et le Canada nous ont tout donné.

Helen Vari, CM poursuit l'œuvre philanthropique de feu son mari, l'honorable George W. Vari, cp, CM, fondateur de la George and Helen Vari Foundation.

IMAGE | V. Tony Hauser, LAC/BAC. George and Helen Vari, 2006, *bottom 20* | *en bas 20*

11 | ALAN BERNSTEIN

What makes Ontario Ontario for me? My answer is simply, opportunity. I first thought my family's experiences were unique. But I now know our story is a typical Ontario one.

My parents arrived in Toronto in the 1920s as young children from Eastern Europe. Because their parents were so poor, both went to work instead of finishing school. My mother had a quick mind and my father had the temperament and intellect to be a history professor. But it was the Depression, and they were immigrant children and that meant neither could realize those dreams for themselves. Instead, they lived them out through their three children. My siblings and I went on to university and became a doctor, a lawyer, and a scientist.

Now, almost one hundred years later, their children, grandchildren and great-grandchildren stand testimony to the wonderful opportunities that Ontario offers people from all over the world.

Alan Bernstein, OC is the President and CEO of the Canadian Institute for Advanced Research.

Qu'est ce qui fait que l'Ontario est l'Ontario pour moi? Ma réponse est simple, ce sont les possibilités. J'ai d'abord pensé que les expériences de ma famille étaient uniques, mais aujourd'hui, je sais que notre histoire est une histoire ontarienne typique.

Mes parents sont arrivés à Toronto au cours des années 1920, de jeunes enfants de l'Europe orientale. Parce que leurs parents étaient si pauvres, les deux ont travaillé plutôt que de finir leurs études. Ma mère avait un esprit vif et mon père avait le tempérament et l'intellect nécessaires pour être professeur d'histoire. Mais c'était l'époque de la dépression et ils étaient des enfants immigrants, ce qui signifiait que ni l'un ni l'autre ne pouvait réaliser ces rêves pour eux-mêmes. Ils les ont plutôt vécus à travers leurs trois enfants. Ma sœur, mon frère et moi-même avons fréquenté l'université et sommes devenus médecin, avocat et scientifique.

Aujourd'hui, près de 100 ans plus tard, leurs enfants, petits enfants et arrière-petits- enfants témoignent des merveilleuses occasions que l'Ontario offre aux gens de partout dans le monde.

Alan Bernstein, OC est le président-directeur général de l'Institut canadien de recherches avancées.

IMAGE | A. Bernstein. *Child on left, top left* | *L'enfant à gauche, en haut à gauche*

12 | NINO RICCI

As a child, all I thought of Canada, or at least of the particular corner of southwestern Ontario that was all I knew of it, was how to leave it. A trip my family had taken to Italy when I was twelve had left me with the sense I'd been born out of place, and a determination to right the mistake as soon as circumstances allowed. When I finally got a chance to live in Italy in my late twenties, however, it proved to be not quite the land of dolce vita I'd hoped, for all its beauties. Canada had ruined me, with its quaint notions of embracing diversity and encouraging divergent thought and giving rewards based on merit. I returned to Canada after a year, and felt something I hadn't expected: relief. More than that: a sense of the freedom, rare in the world, to be whatever I wanted.

Nino Ricci, CM is a two-time winner of the Governor General's Award for Fiction.

Enfant, ce qu'évoquait pour moi le Canada — ou plutôt le sud-ouest de l'Ontario, qui était tout ce que je connaissais de ce pays — était l'envie de le quitter. À 12 ans, en voyage en Italie avec ma famille, j'ai eu le sentiment d'être né au mauvais endroit, et j'ai senti en moi une détermination à corriger cette erreur dès que je le pourrais. Toutefois, lorsque j'ai enfin eu la chance d'aller vivre en Italie vers la fin de la vingtaine, j'ai rapidement compris que la vie là-bas n'était pas la *dolce vita* que j'avais espérée, malgré la grande beauté du pays. Le Canada avait gâté les choses pour moi, avec ses charmantes notions de diversité, de libre pensée et de reconnaissance du mérite. Je suis revenu au Canada après un an, et j'ai été étonné d'avoir un sentiment de... soulagement. Bien plus en fait : un sentiment de liberté, rare dans ce monde, d'être là où je le veux.

Nino Ricci, CM a reçu le Prix du gouverneur général pour romans et nouvelles à deux reprises.

 IMAGE | Conrad Kuiper. *South Western Ontario, top right 25* | *Le sud-ouest de l'Ontario, en haut à droite 25*

13 | HAZEL MCCALLION

Having grown up in this great country, I am a proud Canadian and, as such, a hockey fanatic. I was fortunate to join a team in 1941 as a speedy centre.

In Canada's centennial year, Fran Rider, a young Etobicoke girl, joined a team and committed herself to creating opportunities so girls and women could play this great game. I met Fran in the 1970s when, as president of the Ontario Women's Hockey Association, she was championing her vision to create women's world championships and establish female hockey as an Olympic sport. I enthusiastically joined Fran and the believers and together we accomplished the "impossible" and made everlasting dreams come true. Ontario hosted the first Women's World Hockey Tournament in North York and Mississauga in 1987, leading to the first official world championship in 1990 and the inclusion of women's hockey in the 1998 Olympics in Nagano, Japan, and I was there. Today, young girls and women are welcome participants in Canada's game.

Hazel McCallion, CM served as the Mayor of Mississauga (1978–2014). She is currently the Chancellor of Sheridan College.

J'ai grandi dans ce merveilleux pays. Je suis donc une fière Canadienne et une passionnée de hockey. En 1941, j'ai eu la chance d'être recrutée comme joueuse de centre rapide.

Pendant l'année du centenaire du Canada, Fran Rider, une jeune fille d'Etobicoke, s'est jointe à une équipe de hockey et s'est donnée pour mission de militer pour que les filles puissent aussi jouer à ce jeu extraordinaire. Je l'ai rencontrée dans les années 1970, alors qu'elle était présidente de l'Association de hockey féminin de l'Ontario. Elle défendait la nécessité d'avoir des championnats mondiaux de hockey féminin et d'ajouter le hockey féminin aux sports olympiques. Appuyées d'autres convaincues, nous avons réalisé l'« impossible » et concrétisé de grands rêves. En 1987, l'Ontario a accueilli le premier tournoi mondial de hockey féminin, à North York et à Mississauga. Ce dernier a donné lieu au premier Championnat du monde officiel de hockey féminin, en 1990, ainsi qu'à l'inclusion du hockey féminin aux Jeux olympiques, en 1998, à Nagano au Japon. Et j'y étais. De nos jours, les filles peuvent participer aux jeux du Canada.

Hazel McCallion, CM a été la mairesse de Mississauga de 1978 à 2014. Elle occupe actuellement les fonctions de rectrice du Collège Sheridan.

IMAGE | Toronto Star. *Hazel McCallion, bottom 25 | en bas 25*

14 | JAIME WATT

Ontario hasn't always been home. In 1970, like thousands of others, we made our way down the 401 from Montreal, our home for generations, my family's departure forced by the political instability of the day. Sad to leave, sadder to arrive in this unfamiliar land of Wonder Bread, over-cooked roast beef, and mushy vegetables. We wondered what could possibly lie ahead.

Well, it turns out, only good things. We watched as Ontario grew into the most diverse, welcoming, and interesting place in the world. I seized opportunities that couldn't be found anywhere else. Ontarians embraced me as I, along with so many others, fought for equality for gay and lesbian people. My family and I discovered a thoughtful, civil, engaging place.

Ontario grew on us. And Ontario grew with us. Now, after all these years, Ontario is the only home we know.

Jaime Watt is the Executive Chairman of Navigator Ltd. He has served on numerous arts, health, and community boards.

Je n'ai pas toujours vécu en Ontario. En 1970, comme des milliers d'autres, nous avons emprunté la 401 depuis Montréal, notre foyer depuis des générations, ma famille ayant décidé de partir en raison de l'instabilité politique qui régnait à cette époque. Tristes à l'idée de partir, encore plus tristes d'arriver dans cette ville inconnue, avec son pain Wonder Bread, son rosbif trop cuit et ses légumes mous. Nous nous demandions ce que l'avenir nous réservait.

Eh bien, en réalité, l'avenir ne nous réservait que du bon. Nous avons été témoins de l'évolution de l'Ontario, qui est devenu l'endroit le plus bigarré, accueillant et intéressant au monde. J'ai saisi des occasions qui ne se seraient jamais présentées ailleurs. Les Ontariens m'ont appuyé, moi et tant d'autres, dans la lutte pour l'égalité des gais et des lesbiennes. Ma famille et moi avons découvert une société réfléchie, respectueuse et accueillante.

Nous nous sommes habitués à l'Ontario. Et l'Ontario s'est développé avec nous. Aujourd'hui, après toutes ces années, l'Ontario est le seul foyer que nous connaissons.

Jaime Watt est le président exécutif de Navigator Ltd. Il a siégé à de nombreux conseils d'administration d'organismes dans le domaine communautaire, des arts et de la santé.

IMAGE | Boris Spremo, Toronto Star, 1981. *Highways, left* | *Autoroutes, à gauche*

15 | BILL HOWARD

I remember it well. It was 5:50 in the morning of May 23, 1967. The first GO train leaving Oakville bound for Union Station. I was aboard with a few early-rising commuters and a goodly number of government and railway executives, suppliers, members of the press, and well-wishers. I believe that most of us realized at that moment that we had a winner, but I do not think that any of us thought that, fifty years later, GO would have become one of the more successful stories in the history of public transportation. When I think about GO and its place in helping to "make Ontario Ontario", our success is more than our success as an operation, it's the human side of this incredible service. Those iconic green and white trains have been connecting people to possibilities for over fifty years and, by doing so, have helped to fuel the incredible growth of this region. Thanks a million to all of you faithful commuters and GO employees who have made this possible.

Bill Howard was the first Managing Director of GO Transit (1967–1977).

Je m'en souviens très bien. Le 23 mai 1967 à 5 h 50. Le premier train GO quitta Oakville à destination de la station Union. J'étais à bord avec quelques navetteurs lève-tôt et un bon nombre de cadres du gouvernement et de la compagnie ferroviaire, de fournisseurs, de membres de la presse et de partisans. Je crois que la plupart d'entre nous réalisait à ce moment que nous avions un gagnant, mais je ne crois pas qu'aucun d'entre nous n'ait pensé que, 50 ans plus tard, le GO allait devenir l'un des récits les plus réussis de l'histoire du transport public. Lorsque je pense au GO et à son rôle pour ce qui est d'aider à « faire de l'Ontario ce qu'est l'Ontario », notre succès est plus que notre succès en tant qu'exploitation, c'est le côté humain de ce service incroyable. Ces wagons verts et blancs iconiques ont connecté les gens à des possibilités pendant plus de 50 ans et, ce faisant, ont aidé à alimenter la croissance incroyable de cette région. Mille fois merci à tous les navetteurs fidèles et aux employés du GO qui ont rendu la chose possible.

Bill Howard a été le premier directeur général de GO Transit de 1967 à 1977.

IMAGE | GO Transit. *Oakville GO station, 1967, top right 29 | en haut à droite 29*

16 | RABINDRANATH MAHARAJ

It's unlikely there is a single verifiable point when a place to which you have moved, irrevocably becomes home. Perhaps it's never a dramatic moment of decision but something more subtle: the quiet drip of familiarity that nudges your glance ever forward. A few years ago, I returned from a visit to another, older home, and as I wove my way around the other travellers at Union Station, and boarded the GO train to Ajax, I began to imagine the scene that would soon flash by. As the train approached Rouge Hill, I found myself looking forward to the view of the lake and the pathways and the scabby bush on one side and, on the other, the 401 with its maze of interlocking exits. For the first time that I could recall, I was not thinking of the place I had left behind but of the place to which I was headed. Ajax.

Rabindranath Maharaj is a Writer in Residence at the University of New Brunswick and author of eight novels and short story collections.

Il est probablement impossible de saisir l'instant exact où l'on se sent soudain chez soi dans un endroit qui n'est pas celui où l'on est né. Il ne s'agit pas d'un acte de volonté, mais plutôt de quelque chose de plus subtil : le passage tranquille du connu qui porte votre regard vers l'avant. Il y a quelques années, je revenais d'un endroit qui avait déjà été « chez moi » et, tandis que je me faufilais dans la foule, à la gare Union, et que je montais dans le train GO en direction d'Ajax, je me suis mis à imaginer la scène qui allait bientôt défiler sous mes yeux. Tandis que nous approchions de Rouge Hill, je me suis surpris en train de chercher du regard, d'un côté, le lac, les sentiers et les arbustes décharnés et, de l'autre, l'autoroute 401 avec son labyrinthe de bretelles. Aussi loin que je me souvienne, c'était bien la première fois que je ne pensais pas à l'endroit que je venais de quitter, mais bien à celui vers lequel je me dirigeais. Ajax.

Rabindranath Maharaj est l'auteur de huit romans et recueils de nouvelles; il est de plus écrivain résident à l'Université du Nouveau-Brunswick.

IMAGE | Veridian Connections and Palmese PhotoDesign Group. *Pickering Village, bottom right 29* | *en bas à droite 29*

GRADUATES
CONGRATULATIONS
TO ALL OUR
GRADUATES
CANADA

17 | DAVID PETERSON

As Chancellor of the University of Toronto for six years, I presided over one hundred and eighty-one convocations. I would cast my eyes out onto the packed Convocation Hall to see an audience of all religions, all colours, all nationalities, and all genders.

My eyes rest on the proud parents, brimming with pride as they wave to their children. Many had come to Canada from afar, putting their own dreams on hold to give their children a better life in a country of peace and opportunity.

Each graduand mounts the stairs to receive their degree, young men in new ties and young women in new shoes. I shake the hands of some of the brightest people in the world.

They are full of confidence and promise, lighting up the world with their thousand-watt smiles. I wish them luck as they head out into an uncertain world.

They are the reason I am so enormously optimistic about our future.

The Hon. David Peterson, PC, OOnt served as the twentieth Premier of Ontario (1985–1990).

À titre de chancelier de l'Université de Toronto depuis six ans, j'ai présidé plus de 181 cérémonies de remise des diplômes. Chaque fois, j'observe attentivement la salle bondée, et je vois une foule où tous les genres, religions, couleurs et nationalités sont représentés.

Mon regard se pose sur les parents qui font à leur enfant des signes chargés de fierté. Bon nombre ont parcouru un long chemin avant d'arriver au Canada, ils ont mis leurs rêves en veilleuse pour offrir à leurs enfants une vie meilleure dans un pays rempli de possibilités, où règne la paix.

Chaque finissant monte des marches pour recevoir son diplôme, de jeunes hommes portant une cravate neuve, de jeunes femmes chaussant de nouveaux souliers. Je serre la main de jeunes qui comptent parmi les plus brillants de la planète.

Ils sont pleins de confiance et de promesses; ils illuminent le monde avec leurs sourires éclatants. Je leur souhaite bonne chance tandis qu'ils s'en vont vers un monde dépourvu de certitudes.

Ce sont eux qui me donnent confiance en l'avenir.

L'honorable David Peterson, cp, OOnt a été le 20e premier ministre de l'Ontario, de 1985 à 1990.

IMAGE | Vince Talotta, Toronto Star. *U of T graduates, top* | *Diplômés de l'Université de Toronto, en haut*

18 | TRINITY ARSENAULT

I swam into history in 2016, becoming the youngest Canadian ever to swim the English Channel, because my community cares about others.

I learned to swim well because of the open-water swimming community in Ontario and our Great Lakes. Many different cultures and diverse people come together to participate in this great sport. That's what marks Ontario: people participate in something that doesn't just occur here, but is connected to activity all over the world.

Recently, I met some incredible athletes from all over the province as a part of a twenty-four-hour relay team swimming in Lake Ontario to raise awareness for an environmental group. While the water and air temperatures were around five degrees Celsius, our hearts were made warm by knowing how much everyone cared.

Being a part of this diverse community, connected through our love of water, our local communities, and the Great Lakes is what, for me, makes Ontario Ontario.

Trinity Arsenault is a long-distance swimmer from St. Catharines and the youngest person to have swum across Lake Ontario.

C'est grâce à la natation que je suis passée à l'histoire en 2016, en devenant la plus jeune Canadienne à traverser la Manche à la nage.

J'ai appris à bien nager grâce à la communauté de natation de l'Ontario et aux Grands Lacs. Des personnes d'origines et d'intérêts divers se rassemblent pour pratiquer ce merveilleux sport. Les gens prennent part à des activités qui ont lieu ici, mais aussi qui sont liées à d'autres activités partout dans le monde.

J'ai rencontré des athlètes incroyables provenant de toutes les provinces dans le cadre des 24 heures de relais à la nage dans le lac Ontario afin d'accroître la sensibilisation pour un groupe environnemental. Même si les températures de l'eau et de l'air oscillaient autour de 5 °C, nos cœurs étaient bien au chaud grâce à toute la compassion dont les gens ont fait preuve.

Faire partie de cette communauté diversifiée, unie par l'amour de l'eau, par les collectivités locales et les Grands Lacs est, selon moi, ce qui fait de l'Ontario ce qu'il est.

Trinity Arsenault est une nageuse de longue distance de St. Catharines, et la plus jeune athlète à avoir traversé le lac Ontario à la nage.

IMAGE | Amy Milne-Forte. *Trinity Arsenault, bottom left 32* | *en bas à gauche 32*

19 | PENNY OLEKSIAK

The team and I are in the ready room before the race facing swimmers from all over the world. Some are famous. Some older. Some have better times. But we're wearing the maple leaf, and we know what we have to do. It has been twenty-eight years since our last women's relay medal. From different parts of Canada, speaking different languages, it doesn't matter that we competed against each other to get here. Today we are one team focused on one goal. We lock arms and walk out to the pool together. The speakers boom out our names followed by, "Canada". A cheer goes up from our fans wearing red and white and waving our flag. It's up to us. Individual efforts may have brought us here, but we are better as one team swimming for the maple leaf. The drought is broken.
We have just begun.

Penny Oleksiak is Canada's youngest Olympic champion. She won four medals during the 2016 Summer Games in Rio de Janeiro.

L'équipe et moi sommes dans la salle de préparation avant la course face aux nageuses de partout au monde. Certaines sont célèbres. Certaines plus vieilles. Certaines ont de meilleurs temps. Mais nous portons fièrement la feuille d'érable, et nous savons ce que nous devons faire. Il y a 28 ans depuis notre dernière médaille de relais féminin. En provenance de différentes régions du Canada, et parlant différentes langues, il importe peu que nous ayons rivalisé les unes avec les autres pour en arriver là. Aujourd'hui, nous sommes une équipe qui n'a qu'un seul objectif. Nous nous serrons les bras et nous marchons ensemble vers la piscine. Les présentateurs nomment nos noms, suivis de « Canada ». Des acclamations se font bruyamment entendre de nos partisans qui portent du rouge et blanc et qui agitent notre drapeau. C'est à nous de jouer! Nos efforts individuels nous ont peut-être menés jusqu'ici, mais nous sommes meilleures en équipe et nous nageons pour la feuille d'érable. La disette est terminée. Nous venons tout juste de commencer.

Penny Oleksiak est la plus jeune championne olympique canadienne. Elle a récolté quatre médailles aux Jeux d'été de 2016 à Rio de Janeiro.

IMAGE | Andrew Lahodynsky, Toronto Star. *Parade, bottom right 32* | *en bas à droite 32*

20 | DALTON MCGUINTY

There is something spiritual about paddling a canoe in Northern Ontario. Especially in the fall when there is no one else around. The silence can take your breath away. The sun-speckled water, the meandering shoreline, the dense, dark forest, the gorgeous blue above... you can't help but fall in love with nature's cathedral. When I return to the city, I think my favourite place is a school. That's where you will find us at our best. In the minds of our children, cultures and accents and skin colours don't count. Smiles and working and playing nicely together do. That makes for a great day. And a great province.

Dalton McGuinty served as the twenty-fourth Premier of Ontario (2003–2013).

Voguer sur les eaux du nord de l'Ontario à bord d'un canot à rame a quelque chose de spirituel. Surtout à l'automne quand vous y êtes seul au monde. Le silence qui y règne vous laisse pantois. L'eau étincelante au soleil, le rivage sinueux, la forêt dense et obscure, le magnifique ciel bleu... Nul ne peut rester indifférent devant tant de beauté. Quand je reviens en ville, c'est dans une école que je préfère me retrouver. C'est là que nous sommes les mieux représentés. La culture, l'accent et la couleur de la peau n'ont pas d'importance aux yeux de nos enfants. Travailler et jouer ensemble dans la joie et la bonne humeur, c'est ça qui compte. C'est ce qui rend nos journées — et notre province — si extraordinaires.

Dalton McGuinty a été le 24e premier ministre de l'Ontario, occupant ces fonctions de 2003 à 2013.

IMAGE | Jenna Muirhead, 2010. *Dalton McGuinty, top | en haut*

21 | GIUSEPPINA D'AGOSTINO

I feel very blessed to call Ontario home. My Italian parents immigrated to Ontario and gave me a world of opportunities. I was the first in my family to go to university and am now a university law professor. At forty-one, I gave birth to my first child at St Joseph's Health Centre in Toronto, where I was born myself. At forty-three, I experienced world-class care for my triplets, born prematurely at thirty-five weeks, at Mount Sinai Hospital's Fetal Medicine Unit and St Joseph's Neonatal Intensive Care Unit. I could not dream of having overcome what was a difficult pregnancy, birth, and hospitalization without the expert healthcare in this province. I have had the good fortune of living in several beautiful parts of the world from Abruzzo in Italy, to Oxford in the United Kingdom, to Silicon Valley in the United States, but I chose to come back and raise my family in Vaughan, Ontario.

Giuseppina D'Agostino is a professor of intellectual property law at Osgoode Hall Law School.

Je suis très bénie d'appeler l'Ontario mon domicile. Mes parents italiens ont immigré en Ontario et m'ont offert un monde de possibilités. J'étais la première dans la famille à fréquenter l'université et je suis maintenant professeure de droit à l'université. À l'âge de 41 ans, j'ai donné naissance à mon premier enfant au Centre de santé Saint Joseph de Toronto, où je suis née moi-même. À 43 ans, j'ai fait l'expérience de soins de classe mondiale pour mes triplets, nés prématurément à 35 semaines, à l'unité de médecine fœtale de l'hôpital Mount Sinai, et l'unité des soins intensifs néonataux de Saint Joseph. Je ne pourrais même pas rêver d'avoir surmonté ce qui était une grossesse, un accouchement et une hospitalisation difficiles sans les soins de santé experts de cette province. J'ai eu la merveilleuse chance de vivre dans plusieurs magnifiques régions du monde, allant d'Abruzzo, en Italie, à Oxford, au Royaume Uni, à la Silicon Valley, aux États Unis, mais j'ai choisi de revenir et d'élever ma famille à Vaughan, en Ontario.

Giuseppina D'Agostino enseigne le droit de la propriété intellectuelle à l'Osgoode Hall Law School.

IMAGE | Sam Javanrouh. *View of Vaughan, bottom 36* | *Vue de Vaughan, en bas 36*

150 | Where we came from
Nos origines

22 | SETH

In most Ontario towns you can still find an old fairgrounds. Still vital, the setting for a pumpkin or corn festival, yet somehow they seem a part of the past now. I recall the fairgrounds from *our* little town. Night images of crowds, a midway, fireworks. Or emptied of people. Quiet. Waiting.

Its most striking feature, a wooden grandstand that towered over a harness-racing track. Often, on summer evenings, I'd lazily prowl the empty grounds. I remember feeling a strange sensation in that dim, lonely place. I felt it most strongly when climbing the high grandstand bleachers. A kind of *delicious* boredom. Some sort of shiver. Not every feeling has a name, I guess.

That grandstand looms large in my memories still. It's long gone now. Even the race track is gone. Though if you look closely, there remains a ghost oval of its shape in the brown grass.

Seth is the cartoonist behind the long-running series *PALOOKAVILLE*. He lives in Guelph with his wife, Tania.

Dans la plupart des villes de l'Ontario, on peut toujours trouver un ancien parc d'exposition. Hauts lieux des festivals de la citrouille ou du maïs, ces parcs d'importance vitale semblent maintenant faire partie du passé. Je me souviens du parc d'exposition de *notre* petite ville. Des images des foules, des attractions et des feux d'artifice en pleine soirée. Ou je revois le parc déserté. Tranquille. En attente.

Sa structure la plus imposante : des gradins en bois surplombant une piste de chevaux de course. Souvent, pendant les soirs d'été, je flânais dans le parc désert. Je me souviens d'avoir ressenti une sensation étrange dans ce lieu sombre, peu fréquenté. Cette sensation était encore plus forte quand j'ai grimpé dans les hauts gradins. Un *délicieux* ennui s'emparait de moi. J'en avais des frissons. J'imagine qu'il n'y a pas de mots pour décrire toutes les sensations.

Ces gradins prennent encore beaucoup de place dans mes souvenirs. Ils ne sont plus là depuis longtemps, la piste de course aussi. Mais si on regarde bien, on peut voir dans l'herbe brune son fantôme de forme ovale.

Seth est le bédéiste créateur de la série *PALOOKAVILLE*. Il vit à Guelph avec sa femme Tania.

IMAGE | Seth. *Farmhouse lane* | *Le chemin de la ferme*

DUKE MARINE SERVICES
Welcome to Port Carling

23 | ERNIE EVES

All Canadians, with the exception of Indigenous people, are immigrants or their descendants, each with unique experiences. My father's family from England settled on Wolfe Island in the 1840s before relocating to Windsor, Ontario. My mother's parents left Ukraine buoyed by the hope of freedom and opportunity for their eleven children and settled in Mundare, Alberta in the early 1900s.

Immigrants are often initially regarded as strange, backward, and perhaps even suspicious, but they and their children and grandchildren actually help to shape the very fabric of Canadian society. Canada is a vibrant mixture of people of many racial, religious and cultural backgrounds where we all have the freedom to pursue our dreams and to participate in society without prejudice or persecution.

Where else would the son of a blue-collar family and the grandson of non-English-speaking immigrants be able -to become Premier of Canada's most diverse province. What an honour and privilege to be able to give back and participate in the mosaic that is Canada.

Ernie Eves served as the twenty-third Premier of Ontario (2002–2003).

Tous les Canadiens, à l'exception des Autochtones, sont des immigrants ou leurs descendants, chacun ayant des expériences uniques. La famille de mon père, originaire de l'Angleterre, s'est établie sur l'île Wolfe au cours des années 1840, avant de déménager à Windsor, en Ontario. Les parents de ma mère ont quitté l'Ukraine, soutenus par l'espoir de liberté et de possibilités pour leurs onze enfants, et se sont installés à Mundare, en Alberta, au début des années 1900.

Initialement, les immigrants sont souvent considérés comme étranges, arriérés et peut être même suspects, mais en fait, eux et leurs enfants et petits-enfants aident à façonner le tissu même de la société canadienne. Le Canada est une combinaison dynamique de personnes ayant de nombreux antécédents raciaux, religieux et culturels différents, alors que nous avons tous la liberté de poursuivre nos rêves et de participer à la société sans préjugés ou persécution.

Où d'autre le fils d'une famille de cols bleus et petit-fils d'immigrants ne parlant pas l'anglais pourrait devenir premier ministre de la province la plus diverse du Canada? Quel honneur et quel privilège de pouvoir redonner et participer à la mosaïque qu'est le Canada.

Ernie Eves a été le 23e premier ministre de l'Ontario de 2002 à 2003.

IMAGE | Archives of Ontario. *Windsor, 1958, top left* | Archives publiques de l'Ontario. *En haut à gauche*

24 | DANIEL POLIQUIN

Home to me is Sandy Hill, a historic neighborhood in Ottawa, close to Parliament Hill, home as well to a perennially transient population of students, diplomats, politicians, civil servants, all nostalgic for their real home. I grew up there in the 1950s and 1960s. The place had been deserted by the rich and powerful, who had left behind their stately homes then converted into boarding houses. The place was teeming with large French-Canadian families, low-level functionaries, and dirt-poor immigrants. Social life was centred around the parish, we-French Canadians lived mostly in French, but prejudice was rampant. We felt tolerated though, as did the Jewish shopkeepers and the Italian workers who paved the streets. Now totally gentrified, Sandy Hill is tony once more but the population still has itchy feet. And prejudice is now really a thing of the past. Home is better now.

Daniel Poliquin, OC is a novelist and translator who lives in Ottawa's Sandy Hill neighbourhood.

Ma patrie, c'est la Côte de Sable, un quartier historique d'Ottawa près de la Colline du Parlement, qui était aussi la patrie temporaire d'une foule d'étudiants, de diplomates, de fonctionnaires, tous nostalgiques de leur vraie patrie. J'y ai grandi dans les années 50 et 60. Le lieu avait été alors déserté par la classe patricienne, qui avait laissé derrière ses belles demeures, désormais converties en maisons de chambres. Y habitaient des familles canadiennes-françaises nombreuses, des petits fonctionnaires, des immigrants pauvres comme Job. La vie sociale tournait autour de la paroisse, on y vivait surtout en français, et les préjugés étaient tenaces. Nous nous sentions tolérés toutefois, tout comme les boutiquiers juifs et les travailleurs italiens qui pavaient les rues. Quartier aujourd'hui entièrement gentrifié, la Côte de Sable a retrouvé sa splendeur d'antan et ses habitants sont toujours oiseaux sur la branche.
Mais l'intolérance n'y est plus de saison.
Ma patrie n'en vaut que mieux.

Daniel Poliquin, OC est un romancier et traducteur qui vit dans le quartier Sandy Hill d'Ottawa.

 IMAGE | Christopher Ryan. *Sandy Hill, Ottawa, top right 42* | *Côte de Sable, à Ottawa, en haut à droite 42*

25 | JAMES BARTLEMAN

The days sped by dreamlike that summer of 1946 when I was six and my family lived in a war-surplus tent on the Dump Road in Port Carling. Each morning, I hunted comic books in the garbage and was never disappointed. Later, I hung out with cousins at the Indian Camp, where the white pines were giants, where the ground was covered three inches deep with needles, where well-swept pathways led from cabin to cabin and where the air was filled with the fragrance of sweetgrass. The highlight of my day was the arrival in his canoe of my grandfather with his catch of lake trout to sell to waiting cottagers. And in the evenings, my mother would arrive with the rest of the family to share dinner with her relatives and to gossip into the night around a campfire in the muffled musical language of her people.

The Hon. James Bartleman, OC, OOnt served as the twenty-seventh Lieutenant Governor of Ontario (2002–2007).

Les journées filaient à toute allure en cet été de 1946. J'avais six ans et je vivais avec ma famille dans une tente de surplus militaire sur la Dump Road (le dépotoir) comme on appelait cette route à Port Carling. Chaque matin, je fouillais les déchets à la recherche de bandes dessinées et je n'étais jamais déçu. Plus tard, mes cousins et moi allions traîner au village indien, où les pins blancs étaient gigantesques, où le sol était recouvert d'un tapis d'aiguilles de trois pouces d'épaisseur, où des sentiers bien entretenus nous facilitaient le passage d'une cabane à l'autre et où l'odeur du foin nous emplissait les narines. Le meilleur moment de la journée, c'était quand mon grand-père revenait de la pêche à bord de son canot rempli de truites grises qu'il vendait aux propriétaires de cabanes qui l'attendaient sur le quai. Le soir, ma mère arrivait avec le reste de la famille; on soupait ensemble avec sa parenté et on passait la soirée autour d'un feu de camp à écouter parler son peuple dans une langue musicale au son étouffé.

L'honorable James Bartleman, OC, OOnt a été le 27e lieutenant-gouverneur de l'Ontario de 2002 à 2007.

IMAGE | Mapio. *Port Carling, bottom 42* | *en bas 42*

26 | SCOTT THORNLEY

You can leave your hometown, but your hometown never leaves you. Hamilton is in my blood for good. I grew up believing it was beautiful. I still do. Even the burnt red towers spewing flame, fumes, and smoke, and the fine ash dusting on clothes hung out to dry.

Half of our fathers disappeared into those waterfront factories where night and day disappeared. All to keep Canada in tractors, tires, rail cars, refrigerators, soap, steel, and much, much more.

The clay of me was shaped and fired on the side of the mountain — on Van Wagner's pebbled beach, listening to the hiss of stones rolling in the surf; at Princess Point, skating on thin ice; or catching turtles in Cootes Paradise. The most magical of all was lying on the grass in Gage Park, staring up at the night sky, talking reverently about the future. These experiences inform my worldview.

Scott Thornley, graphic designer and storyteller, was raised in Hamilton, the setting of his three MacNeice mystery novels.

Vous pouvez quitter votre lieu de naissance, mais celui-ci vous habite toujours. Hamilton coule inlassablement dans mes veines. Enfant, je trouvais la ville belle. C'est encore le cas. Même les tours rouge brûlé crachant des flammes, des vapeurs et de la fumée, même la fine couche de cendres sur les vêtements mis à sécher.

La moitié de nos pères ont disparu dans ces usines riveraines, où la nuit se confondait avec le jour. Tout cela pour approvisionner le Canada en tracteurs, en pneus, en wagons, en réfrigérateurs, en savon, en acier, et j'en passe.

Mes souvenirs d'enfance sont enracinés aux pieds de la montagne, sur la plage de galets Van Wagner's, j'entends encore les pierres rouler dans l'eau, je me revois patiner sur la mince couche de glace à Princess Point et attraper des tortues à Cootes Paradise. Le moment le plus magique, c'est celui où je m'étendais sur le gazon de Gage Park et je regardais le ciel étoilé en rêvant à ce que l'avenir me réservait. Ces expériences ont façonné ma vision du monde.

Scott Thornley, concepteur graphique et écrivain, a grandi à Hamilton, ville où se déroule l'action de ses trois romans policiers de la série MacNeice.

IMAGE | Joseph Hartman. *Hamilton, 2009*

27 | KEN PIERCE

Elliot Lake, Northern Ontario 1955, Uranium Boom Town. Uranium had been discovered, and the United States wanted all they could get to enhance their stockpiles. Eleven mines were developed and in production. The town of Elliot Lake was carved out of the forest. Houses, churches, stores, etc., were built. In 1961 the Americans cancelled further sales. All mines closed except two. The population dropped from twenty thousand to seven thousand. In 1970 demand rose once again and four mines operated until 1992 when three closed. The last mine closed in 1996. The city turned to retirement living and was very successful. Advertised as a "Jewel in the Wilderness," and situated in a land of lakes and maple trees, it truly is. I came to Elliot Lake in 1957 as a twenty-year-old. Anne and I raised three children and have resided here for over fifty-nine years. This is our home and it always will be.

Ken Pierce and his wife, Anne, raised three children in Elliot Lake and have lived there for over fifty-nine years.

Elliot Lake, nord de l'Ontario. Nous sommes en 1955. La ville connaît une vague de prospérité à la suite de la découverte d'un gisement de minerai d'uranium. Les États-Unis veulent en tirer le maximum afin d'accroître leurs réserves. Onze mines sont exploitées. La ville d'Elliot Lake est dépouillée de ses forêts. On a bâti des maisons, des églises, des commerces. En 1961, les Américains mettent un terme à leurs achats. Toutes les mines sont fermées, sauf deux. La population passe de 20 000 à 7 000 habitants. En 1970, la demande refait surface et quatre mines sont exploitées jusqu'en 1992. Trois mines sont alors fermées, suivies de la dernière, en 1996. La ville se tourne vers le marché des résidences pour retraités et connaît beaucoup de succès. Située sur une terre parsemée de lacs et d'érables, la ville porte bien le nom de « joyau de la nature sauvage » qu'on lui attribue. J'avais 20 ans quand je suis arrivé à Elliot Lake. C'était en 1957. Anne et moi y vivons depuis plus de 59 ans et y avons élevé nos trois enfants. C'est notre chez-nous et ce le sera toujours.

Ken Pierce et son épouse Anne ont élevé leurs trois enfants à Elliot Lake, la petite ville où ils vivent depuis plus de 59 ans.

 IMAGE | Richard Mitchell. *Elliot Lake Mining Monument, top left* | *Monument aux mineurs d'Elliot Lake, en haut à gauche*

Since 1928
DEMARCO'S
CONFECTIONERY
CREAM · COFFEE BAR · GROCERIES · SOUP & SANDWICHES · FRUIT & GIFT BASKETS
Fruit & Gift Baskets
476-7100
OPEN
DEMARCO'S
ICE CREAM
COFFEE BAR
GROCERIES
SOUP & SANDWICH
FRUIT & GIFT BASKETS
LOTTERY TICKETS
NEWSPAPERS

BOAT SCRIVNERS HOUSE
TAIT-QUARTERMAIN
Optical House

28 | TONY DEMARCO

My father brought my mother and me back from Italy when I was twenty-two months old. Our family's business, DeMarco's Confectionary, became a local landmark in North Bay for shoppers, students, and churchgoers, receiving many political dignitaries and sports figures during its eighty-six years of business.

When I was a kid, North Bay was a small city of nine to ten thousand people. Most of the streets were not paved, so they were gravel, even the highways. Our homes were heated with coal or wood, and my father would get up in the night to stoke the furnace. My mother would put warm bricks under the blankets at the foot of our beds to keep us warm.

Although we suffered discrimination during the Second World War, I have always felt proudly Canadian. I have to say that I am just an ordinary person who has tried to lead an ethical life.

Tony DeMarco worked in the family business, DeMarco's, until age ninety-four, when it closed after eighty-six years. This story was told by Judith Jessen, his daughter.

Mon père nous a ramenés d'Italie, ma mère et moi, quand j'avais 22 mois. Notre entreprise familiale, DeMarco's Confectionary, est devenue un incontournable à North Bay pour les adeptes du magasinage, les étudiants et les messalisants, ayant accueilli de nombreuses personnalités politiques et sportives au cours de ses 86 ans d'existence.

Quand j'étais petit, North Bay était une petite ville de neuf à dix mille habitants. La majorité des rues n'étaient pas asphaltées; même les autoroutes étaient en gravier. Nos maisons étaient chauffées au charbon ou au bois, et mon père se levait la nuit pour alimenter la chaudière. Ma mère prenait soin de mettre des briques chaudes à nos pieds sous la couverture de notre lit pour nous garder au chaud.

Bien que nous ayons été victimes de discrimination durant la Seconde Guerre mondiale, j'ai toujours été fier d'être Canadien. Je dois dire que je suis une personne ordinaire qui essaie de mener une vie rangée.

Tony DeMarco a travaillé au sein de l'entreprise familiale jusqu'à l'âge de 94 ans; DeMarco's a alors fermé ses portes après 86 années d'activité. Cette histoire a été racontée par sa fille, Judith Jessen.

IMAGE | Urban Toronto. *DeMarco's Confectionary, top right 49 | en haut 49*

29 | SARAH DISHER-NEDDOW

My family has proudly lived and worked in Brantford for generations. While officially the size of a city, I have always felt that Brantford carries itself with the spirit of a small town. I am humbled to carry family names whose ancestors are fondly remembered from generations past; I am delighted to see familiar faces grow from schoolyard friends to pillars of our community. I love the feeling of watching people you know embrace local businesses. I am honoured to give back to my community to ensure all our citizens feel as encouraged by their hometown as I do. And when I witness the warm way we welcome friendly new faces and cultures as our city diversifies, I feel confident in the future of my hometown.

Maintaining that small-town community feeling as our cities grow and change, that is my Ontario.

Sarah Disher-Neddow is a community volunteer and small business owner born and raised in Brantford.

Ma famille a vécu et travaillé fièrement à Brantford pendant des générations. Officiellement, Brantford est de la taille d'une ville, mais j'ai toujours eu l'impression que Brantford avait gardé l'esprit d'un petit village. C'est avec humilité que je porte des noms de famille d'ancêtres des générations passées qui ont laissé un souvenir impérissable; je suis enchantée de voir des visages familiers passer d'amis de cour d'école à des piliers de notre communauté. J'aime le sentiment éprouvé à observer des personnes qui exploitent maintenant des entreprises locales. Je suis honorée de redonner à ma collectivité pour assurer que tous nos citoyens se sentent encouragés par leur ville natale, comme c'est mon cas. Et lorsque je suis témoin de la façon chaleureuse dont nous accueillons de nouveaux visages amicaux et de nouvelles cultures alors que notre ville se diversifie, j'ai confiance dans l'avenir de ma ville natale.

Le maintien de ce sentiment de communauté de petites villes pendant que nos villes croissent et changent, c'est là mon Ontario.

Sarah Disher-Neddow est propriétaire d'une petite entreprise dans sa ville natale de Brantford; elle se dévoue également à titre bénévole au sein de sa communauté.

IMAGE | Tae Hislop. *Brantford Then and Now, bottom 49* | *Brantford d'hier et d'aujourd'hui, en bas 49*

NASSAU ST
WELCOME TO

30 | PARDEEP SINGH NAGRA

Being born in the Land of Five Rivers — the Punjab — it is only fitting that, since my toddler years, I now call the province of Five Lakes — Ontario, home. Ontario's plate tag reads, "Ontario, Yours to Discover" And discover I did.

In my journey of discovering the heritage of Sikhs in Canada, I was surprised to discover that Ontario played a critical role in that history. Whether it was Amar Singh and Gopal Singh being given badges for the Order of Oddfellows at Toronto Union Station in 1906 while heading to Harvard, or the moving speeches of Dr. Sundar Singh at the Canada Club and Empire Club in 1911, and 1912. Equally, in the early 1990s various delegations went to Ottawa to advocate for the rights of Sikhs while others like Privates Waryam Singh, Buckam Singh, Lashman Singh, and Hari Singh enlisted in Smiths Falls to serve for Canada in the First World War.

Pardeep Singh Nagra is a Canadian athlete, historian, and human rights advocate.

Je suis né au pays des cinq rivières, le Punjab, mais depuis ma petite enfance, je suis ici chez moi en Ontario, dans la province que j'appelle tout naturellement la province des cinq lacs. La plaque de l'Ontario indique « Tant à découvrir » et moi, j'ai pris plaisir à tout découvrir.

Dans mon voyage de découverte de l'héritage des Sikhs au Canada, j'ai été surpris de constater que l'Ontario a joué un rôle crucial dans cette histoire, grâce à Amar Singh et Gopal Singh qui ont reçu des badges de l'Ordre des Oddfellows à la gare Union de Toronto en 1906 avant de se diriger vers Harvard, ou aux discours émouvants de Sundar Singh au Canada Club et à l'Empire Club en 1911-1912. Également, grâce aux diverses délégations qui se sont rendues à Ottawa pour défendre les droits des Sikhs au début des années 1990, ainsi qu'aux soldats Waryam Singh, Buckam Singh, Lashman Singh et Hari Singh qui se sont enrôlés à Smiths Falls pour servir le Canada pendant la Première Guerre mondiale.

Pardeep Singh Nagra est un athlète canadien, un historien et un défenseur des droits de la personne.

IMAGE | Lucas Oleniuk, Toronto Star. *Sikh heritage, top left* | *L'héritage des Sikhs, en haut à gauche*

31 | ELLEN SCHEINBERG

I grew up in Montreal. During the seventies, it was the largest, most cosmopolitan city in Canada. When my family visited Toronto, my dominant memory of these road trips was the ubiquitous donut and submarine shops. If Montreal was Paris, Toronto was a poor man's London: large, but a strictly meat-and-potatoes kind of town.

The main exception was Kensington Market. Where Toronto the Good was proper, white, and bland, the Market was colourful, festive and free. It was an oasis of diversity: the tantalizing aroma of exotic foods, the calliope of different languages, and colourful produce peeking out of the vendors' stalls.

The Market to me represented a pocket in town where a young Jewish girl didn't have to feel self-conscious about not fitting into the dominant culture. Today, that atmosphere exists across the entire city, and I'm proud to call Toronto home.

Ellen Scheinberg is an author, historian, heritage consultant, and the President of Heritage Professionals.

J'ai grandi à Montréal. Pendant les années 1970, c'était la ville la plus grande et la plus cosmopolite du Canada. À l'occasion de nos visites à Toronto, ce dont je me rappelle le plus de nos escapades routières, ce sont les beigneries et les restaurants de sous-marins qu'on trouvait partout. Si Montréal était Paris, Toronto était la Londres du pauvre : elle était grande, mais on n'y trouvait que de la viande et des patates.

La seule exception : le marché de Kensington. Le bon côté de Toronto était correct, blanc et fade, mais le marché était coloré, festif et empreint de liberté. C'était l'oasis de la diversité : l'arôme alléchant des aliments exotiques, l'amalgame de différentes langues et des produits maraîchers hauts en couleur disposés sur les étalages des vendeurs.

Pour moi, le marché, c'était un endroit de la ville où une jeune fille juive comme moi n'avait pas besoin de se préoccuper de s'intégrer à la culture dominante. Aujourd'hui, cette atmosphère imprègne toute la ville, et je suis fière de dire que Toronto, c'est mon chez-moi.

Ellen Scheinberg, présidente de Heritage Professionals, est également une auteure, historienne et experte-conseil en patrimoine.

 IMAGE | Toronto Star. *Kensington Market, c. 1979, top right 52* | *Marché de Kensington, vers 1979, en bas à droite 52*

32 | AHMAD AL MANSOUR AND MAYSOUN MANSOUR

Marhabaan. Kaif Halik? Hello. How are you?

We were born in Damascus. We fled our Syria in 2012 to Lebanon. While our money lasted, we lived in a stable with animals, next a UN refugee camp with tens of thousands of other Syrians. Then, "naam" (yes) to Canada.

On December 7, 2015, our plane landed in Ottawa. We had one suitcase, one cardboard box, and uncertainty and nervousness and worry. How would our three boys be? How would we eat? We could not say "hello" or "thank you" or "yes, please."

In Belleville, strangers then but "our family" now, help us with English lessons, with healing, and to worship; they are there when we remember. In Ontario, we have a second life in a safe world, a future without explosions and danger.

To our Ontario family, to the Canadian government that opened a door, thank you. Shookran. Maa-sha-Allah.

Ahmad Al Mansour, Maysoun Mansour, and their three sons completed their first year in Canada in December 2016.

Marhabaan. Kaif Halik? Bonjour. Comment allez-vous?

Nous avons fui notre Syrie natale en 2012 pour aller au Liban. Tant que nous avons eu de l'argent, nous avons vécu dans une étable avec des animaux, près d'un camp de réfugiés des Nations Unies, où il y avait des dizaines de milliers d'autres Syriens. Puis, nous avons reçu notre « Naam », notre oui, pour aller au Canada.

Le 7 décembre 2015, notre avion a atterri à Ottawa. Nous avions une seule valise et une boîte de carton, mais une tonne d'inquiétudes et d'angoisses. Nos trois fils vont-ils être bien ? Comment allons-nous manger ? Nous ne savions même pas comment dire « Bonjour » ou « Merci ».

À Belleville, notre « famille », qui nous était alors inconnue, nous a soutenus dans notre apprentissage de l'anglais, mais aussi dans l'adaptation à notre nouvelle vie et la foi en notre avenir. En Ontario, une seconde vie dans un monde sûr nous a été offerte.

À notre famille de l'Ontario et au gouvernement du Canada, nous vous remercions. Shookran. Maa-sha-Allah.

Ahmad Al Mansour, Maysoun Mansour et leurs trois fils terminaient leur première année de vie au Canada en décembre 2016.

IMAGE | Ian Sutherland. *Arrival in Belleville, bottom 52* | *Arrivée à Belleville en bas 52*

33 | LISA HYDE

Growing up in North Easthope Township in Perth County shaped who I am today. It is here that I witnessed hard work and faith and deep family roots.

The rolling hills provided a breathtaking landscape, an incredible sight for every season; beautifully cultivated fields, with meticulously planted crops that grew throughout the summer; fall harvest done during long days and late nights, hoping to evade the upcoming inclement weather.

I remember the butchering on fall Saturdays when friends and family gather to make enough frying sausage or summer sausage to feed a small country; picking rutabagas at a family friend's farm; standing in my grandma's enormous garden eating her vegetables and fruits; helping her pick those berries so we could go in the kitchen to prepare that fresh-baked raspberry custard pie.

No matter where I travel in life, my heart and soul will always lie in the township of North Easthope, Perth County.

Lisa Hyde is the mother of two children and the Executive Vice-President of Hyde Construction in Stratford.

Le fait d'avoir grandi dans la région de North Easthope dans le comté de Perth a façonné qui je suis aujourd'hui. J'ai vu ce qu'était le travail ardu, la foi et les racines familiales profondes.

Les vallées onduleuses et leurs paysages époustouflants chaque saison de l'année; les champs extrêmement bien travaillés avec les différentes cultures alignées qui s'épanouissent à l'été; les récoltes hâtives pendant les longues journées automnales pour éviter l'imminente météo inclémente.

Je me souviens des festins des samedis d'automne quand les amis et les parents se rassemblaient pour faire cuire assez de saucisses de toutes sortes pour le comté au complet; pour cueillir les navets à la ferme d'un ami de la famille. Tous dégustaient les fruits et légumes de l'énorme jardin de ma grand-mère et l'aidaient à cueillir les baies pour qu'elle nous prépare de délicieuses tartes aux framboises et à la crème anglaise.

Peu importe où je me retrouve dans la vie, mon cœur et ma tête seront toujours à North Easthope dans le comté de Perth.

Lisa Hyde, mère de deux enfants, occupe le poste de première vice-présidente chez Hyde Construction à Stratford.

IMAGE | Chris Thomaidis. *Ontario farmland, top* | *Terres agricoles de l'Ontario, en haut*

SALE

34 | TOM CULL

Growing up, Ontario was Huron County, a grid of country roads, bush parties, red-tailed hawks on hydro poles, white-tailed deer in the ditches, the smell of fresh-cut hay and chainsaw oil, sitting at the kitchen table, looking out at a chaos of snow, listening to the CBC morning radio host detail the driving conditions in a far-off mystical place called "The Don Valley Parkway," turning the dial to 920 AM, praying for the host to announce: East Wawanosh Public School, buses cancelled, school closed. But now, I trip up on the names: Wawanosh, Huron, Ontario. I grew up thinking Wawanosh was a township, not a person, not an Ojibwa Chief whose first name was Joshua, who fought for the Crown in the War of 1812. I grew up playing on the beaches of Lake Huron without knowing how the lake got its name. Ontario has become a questioning.

Tom Cull currently serves as the Poet Laureate of London and is a professor of creative writing at Western University.

J'ai grandi alors que l'Ontario était le comté de Huron, une grille de routes rurales, de fêtes « bien arrosées » en plein air, de buses à queue rousse sur les poteaux électriques, de cerfs de Virginie dans les fossés, d'odeur de foin fraîchement coupé et d'huile de tronçonneuses. Assis à la table de la cuisine, j'observais un chaos de neige en écoutant l'animateur de radio du matin de CBC décrire les conditions routières dans un endroit mystique très éloigné appelé « la promenade Don Valley ». Je tournais le bouton vers AM 920 et je priais pour que l'animateur annonce que l'école publique de Wawanosh Est était fermée et que les autobus étaient annulés. Mais aujourd'hui, je trébuche sur les noms Wawanosh, Huron, Ontario. J'ai grandi croyant que Wawanosh était un comté, non pas une personne, non pas un chef ojibwé dont le prénom était Joshua, qui s'est battu pour la Couronne durant la guerre de 1812. J'ai grandi en jouant sur les plages du lac Huron sans savoir comment le lac avait acquis son nom. L'Ontario est devenu un questionnement.

Tom Cull est le poète officiel de la ville de London et professeur de création littéraire à l'Université Western.

IMAGE | Conrad Kuiper. *Bridge, Huron County, bottom left 57* | *Pont au comté de Huron, en bas à gauche 57*

35 | PAWEL DWULIT

I must have passed it while travelling along Highway 7 between Toronto and Ottawa hundreds of times before I noticed it. This building was a home? A place of business? A place of life? Finding this small building alongside the road left me asking why and how. It left me much more observant while driving by the numerous buildings left to rot alongside Highway 7.

This was the highway before the 401 existed. This was the road to family vacations and exploratory weekends at cottages and among endless lakes. The relics that remain are a reminder that our province has grown, becoming more commercial, more industrial. There are plenty of gems left along Highway 7 — diners, parks, small towns with great coffee.

Although the landscape along the highway continues to change, it still inspires those who travel the rolling hills and scenic lakes to explore the past.

Pawel Dwulit is a photographer and filmmaker whose company, PWD Visuals Ltd, is based near Highway 7.

J'ai dû passer devant des centaines de fois alors que je voyageais le long de l'autoroute 7 entre Toronto et Ottawa, avant de le remarquer. Cet immeuble était-il un domicile? Un lieu d'affaires? Un lieu de vie? Le fait de trouver ce petit immeuble le long de la route me faisait me demander pourquoi et comment. Il a fait en sorte que je sois beaucoup plus attentif lorsque je passais en voiture devant les nombreux immeubles qu'on laissait moisir le long de l'autoroute 7.

C'était là l'autoroute avant que la 401 n'existe. C'était la route vers les vacances de famille et les fins de semaine d'exploration dans des chalets et parmi des lacs sans fin. Les reliques qui restent sont un rappel que notre province a grandi, est devenue plus commerciale, plus industrielle. Il y a une abondance de bijoux abandonnés le long de l'autoroute 7 — de petits restaurants, des parcs, de petits villages offrant de l'excellent café.

Bien que ce paysage le long de l'autoroute continue de changer, il inspire toujours ceux qui voyagent dans les régions vallonnées et les superbes lacs pour explorer le passé.

Pawel Dwulit est un photographe et cinéaste dont l'entreprise, PWD Visuals Ltd, est située près de l'autoroute 7.

IMAGE | Pawel Dwulit. *Highway 7, bottom right 57* | *L'autoroute 7, en bas à droite 57*

tiff.
toronto
international
film festival

36 | CAMERON BAILEY

My sister Maxine and I landed from Barbados in 1971. We'd been apart from our parents for four years, living with grandparents as one small slice of a vast trans-Atlantic migration that linked the Caribbean, Great Britain and Canada. We were strangers to our mother, and strangers to our new home.

One summer weekend, our mother took us to Ontario Place. It was like stepping into the future. We did everything: the boats, the food, the games. But it was when we stepped into the Cinesphere and watched the pioneering IMAX film *North of Superior* that I was truly awed by the scope and beauty of this place.

I never forgot that experience, and every time I sit in the dark, dwarfed by a big screen, I can recall myself as a dazzled newcomer to Ontario.

Cameron Bailey is the Artistic Director of the Toronto International Film Festival.

Ma sœur Maxine et moi sommes arrivés de la Barbade en 1971. Séparés de nos parents depuis déjà quatre ans, nous vivions alors avec nos grands-parents, faisant partie de la grande vague d'immigration qui a uni les Caraïbes, la Grande-Bretagne et le Canada. Nous étions des étrangers aux yeux de notre mère, et étrangers dans cette nouvelle ville qui devenait notre domicile.

Une fin de semaine d'été, nous sommes allés avec maman à la Place de l'Ontario. Je me croyais dans le futur. Nous avons tout fait : les bateaux, les restaurants, les jeux. Mais c'est lorsque nous sommes allés dans la cinésphère pour voir le film IMAX *North of Superior* que j'ai réellement pris conscience, avec tant d'émerveillement, de la splendeur et de l'ampleur de l'endroit.

Je n'oublierai jamais cette expérience, et chaque fois que je me retrouve dans l'obscurité d'une salle de cinéma, je me souviens de la fascination que j'ai ressentie ce jour-là en tant que nouvel arrivant en Ontario.

Cameron Bailey est le directeur artistique du Festival international du film de Toronto.

IMAGE | Vik Pahwa. *TIFF fans* | *Admirateurs du Festival international du film de Toronto*

Bell Media
NEW TRIBE
CP24

37 | ILSE TREURNICHT

I did not choose Ontario. A Canadian brought me here, an unexpected detour for a South African seeking relief from a black and white world. With the smell of red dust still etched in my senses, the landscape scattered with pristine lakes was breathtaking, but unfamiliar.

I found the visceral connection, strangely enough, in our cities. Cities where it seems everyone is from somewhere else. Where small acts of kindness connect strangers every day, weaving bits of generosity into the urban fabric. Letting warmth in. Making room for creativity. Places where kids can grow up with open minds, truly curious about the possibilities of our shared humanity.

Hope and despair live side by side in cities, and shape the future. Our unique urban experiments are important in this harsh world. Here, diversity is more than tolerance. It offers us a real chance to do something good together.

Ilse Treurnicht is CEO of the MaRS Discovery District.

Je n'ai pas choisi l'Ontario; ce sont plutôt des Canadiens qui m'y ont amenée, un curieux détour pour une Sud-Africaine cherchant à fuir un monde tout noir et blanc. Avec une odeur de poussière rouge ancrée en moi, je découvrais un majestueux paysage parsemé de lacs immaculés, qui m'était complètement étranger.

C'est toutefois avec la ville que j'ai établi un lien viscéral; là où tout le monde semble venir d'ailleurs. Où de petits gestes de gentillesse permettent aux gens d'entrer en contact au quotidien, tissant des brins de générosité dans le grand tissu urbain. La ville est un endroit où les enfants peuvent grandir l'esprit ouvert, curieux des possibilités de notre humanité commune.

L'espoir et le désespoir se côtoient en ville, et façonnent l'avenir. Nos expériences urbaines sont essentielles dans ce monde difficile. Ici, cette véritable diversité est le fruit de bien plus que la tolérance. Elle nous donne une chance réelle de faire quelque chose de bien, ensemble.

Ilse Treurnicht est la directrice générale du District de la découverte MaRs.

IMAGE | Sam Javanrouh. *Panorama, Queen Street, top* | *Panorama, rue Queen, en haut*

38 | ANNESHA MENDES

For me, Ontario is a place people dream of calling home. My brothers and I are blessed that our parents chose to raise us in a welcoming, dynamic, and thoughtful community like Mississauga.

My city best captures the spirit of Ontario's resilient past and promising future. Like other communities, Mississauga has grown from farm fields and fruit trees into a vibrant, prosperous, and thriving place so many new Canadians continue to choose for a better life. Our celebrated waterfront, winding Credit River, and tranquil green spaces are natural treasures that previous generations have safeguarded for my generation to enjoy.

Ontario is a place that invites and encourages youth, like me, to be informed, compassionate, and engaged citizens. Whether it's volunteering at my church, at school, or with a charity I feel strongly about, being there for people is what Ontarians do.

These are just some of the many things that make Ontario Ontario.

Annesha Mendes grew up in Mississauga. She is an undergraduate commerce student at the University of Ottawa.

L'Ontario, lieu où des gens rêvent de vivre. Mes frères et moi avons eu la chance de grandir dans une collectivité accueillante et dynamique comme Mississauga.

Ma ville est l'exemple même de la résilience dont l'Ontario a fait preuve dans le passé et de l'avenir prometteur qui l'attend. Comme d'autres collectivités, Mississauga, autrefois peuplée de terres agricoles et d'arbres fruitiers, est devenue une ville dynamique et prospère que de nombreux nouveaux arrivants choisissent d'habiter. Notre célèbre secteur riverain, notre rivière Credit au parcours sinueux et nos espaces verts paisibles sont des trésors nationaux que les générations précédentes ont su protéger pour que ma génération puisse en profiter.

L'Ontario est un lieu qui encourage les jeunes à devenir des citoyens informés, compatissants et engagés. Qu'il s'agisse de travailler bénévolement à l'église, à l'école ou ailleurs, aider les gens, c'est ce que nous faisons, nous, les Ontariens.

Voilà entre autres ce qui fait de l'Ontario la province qu'elle est aujourd'hui.

Annesha Mendes a grandi à Mississauga. Elle étudie au premier cycle en commerce à l'Université d'Ottawa.

IMAGE | Vik Pahwa. *View of Mississauga, bottom left 62* | *Vue de Mississauga, en bas à gauche 62*

39 | VERONA JACKSON

Relocating from Toronto to small-town Owen Sound, we discovered how ordinary citizens were helping to build the heart of our nation. The people of Bruce Grey are strongly committed to family and community. The level of volunteerism is astonishing; the accomplishments, outstanding.

From a vibrant community foundation to the splendid Cape Croker PowWow! From an engineered ice surface doubling as a basketball court in summer, to the huge Salmon Spectacular, Summerfolk, and PumpkinFest; from creating beautiful floral downtowns to building wonderful children's playgrounds and soccer complexes. The Festival of Northern Lights is a year-round activity engaging hundreds of volunteers. Add to this abbreviated list: the ongoing dedication to improving hospital services, to building and supporting a residential hospice, and to warmly welcoming refugee Syrian families. From rebuilding a neighbour's barn to rebuilding a shut-in neighbour's spirit, this is sizzling small-town Ontario, enriched daily by thousands of our neighbours.

Verona Jackson, a retired professor at Georgian College, never planned to stay in Owen Sound. She has now lived there for almost fifty years.

Lorsque nous avons quitté Toronto pour Owen Sound, nous avons réalisé que les citoyens contribuent à édifier le cœur de notre nation. Les habitants des comtés de Bruce et de Grey sont engagés envers les familles et leur collectivité.

Ils font beaucoup de bénévolat et leurs réalisations sont exceptionnelles, comme une fondation communautaire dynamique et le pow-wow de Cape Croker, une patinoire synthétique qui devient un terrain de basketball l'été, le tournoi de pêche Salmon Spectacular, le festival Summerfolk et j'en passe. On y aménage de magnifiques centres-villes fleuris et de merveilleux terrains de jeux et de soccer pour enfants. Le Festival of Northern Lights est une activité qui se déroule à l'année et qui requiert la participation de centaines de bénévoles. La collectivité se dévoue également pour améliorer les services hospitaliers, construire une maison de soins palliatifs et accueillir des familles de réfugiés syriens. Les petites villes de l'Ontario sont dynamiques. Qu'il s'agisse de reconstruire la grange d'un voisin ou l'esprit d'une personne qui a connu la souffrance, nous sommes toujours entourés de voisins chaleureux.

Verona Jackson, professeure retraitée du Georgian College, n'avait pas planifié de rester à Owen Sound. Elle y habite maintenant depuis près de cinquante ans.

IMAGE | Owen Sound Festival of Northern Lights. *Bottom right 62* | *en bas à droite 62*

40 | GARY LIPINSKI

I was fortunate to grow up with the Métis way of life. Extended family was a big part of that life. With five uncles, an aunt, and twenty-six first cousins, I was never without "things to do". Every weekend and summer, we ventured to my grandparents' island to hunt, fish, trap, pick berries, and live with and on the land. We were never too young to contribute to the family by helping to hunt and to gather food. Anything we could harvest meant less limited family income was spent on groceries.

It was and is a special way of life, and it led me to the Métis Nation of Ontario. Working together, Métis in Ontario aspire to attain our highest potential and were acknowledged as a distinct Indigenous people with guaranteed constitutional rights. Thanks to this work, I am confident the way of life I grew up with will continue long into the future.

Gary Lipinski is a former President of the Métis Nation of Ontario (2008–2016).

J'ai eu la chance de grandir selon le mode de vie des Métis. Ma famille élargie représentait une partie importante de ce mode de vie. Avec cinq oncles, une tante, et 26 cousins germains, je ne m'ennuyais jamais. Toutes les fins de semaine et tous les étés, nous nous rendions sur l'île de mes grands-parents pour pratiquer la chasse, la pêche, le piégeage, et cueillir de petits fruits. Nous vivions sur notre territoire, et avec notre territoire. Aucun de nous n'était jamais trop jeune pour participer aux activités familiales et apporter sa contribution, qu'il s'agisse de chasser ou de trouver de la nourriture. Plus nous récoltions de produits de la terre, moins notre famille serait obligée de dépenser à l'épicerie de l'argent déjà rare.

C'était, et cela reste, une manière de vivre tout à fait unique, ce qui m'a amené à la Nation métisse de l'Ontario. Les Métis de l'Ontario travaillent ensemble pour réaliser leur potentiel le plus élevé. Ils ont été reconnus comme un peuple autochtone à part entière, dotés de droits garantis par la Constitution. Grâce à ce travail, je suis convaincu que le mode de vie qui a été le mien lorsque j'étais enfant pourra être transmis de génération en génération.

Gary Lipinski est un ancien président de la Métis Nation of Ontario de 2008 à 2016.

IMAGE | Métis Nation of Ontario. *Gary Lipinski (front), top* | *Gary Lipinski, à l'avant, en haut*

POGBA
6

41 | IRIS NEMANI

Otty Lake, Perth, Ontario. Summers of my youth spent away from home at overnight camp. Feeling the anticipation mount as we boarded the school bus and headed out to the highway on our way to Perth, to our camp on Otty Lake. Summer camp meant games outside, swimming in the lake, getting eaten alive by mosquitos, avoiding poison ivy, building bonfires, jumping off diving rocks, canoe trips and black fly bites, collecting wood for the fire, and finding just the right green stick to roast marshmallows. Food never tasted so good. Summer days surrounded by birch and maple trees, chipmunks and frogs, and — if we were lucky — a special trip into town to Dairy Queen for a hot fudge sundae. Whatever possessed my parents, immigrants from Israel, to send me hundreds of kilometres away into the Ontario countryside for weeks in the summer, I am forever grateful.

Iris Nemani is the Chief Programming Officer at the Harbourfront Centre.

Lac Otty, Perth, Ontario. J'ai passé les étés de mon enfance en colonie de vacances. Il y avait de la fébrilité dans l'air quand on montait dans l'autobus scolaire à destination de Perth, en route pour la colonie de vacances du lac Otty. Là-bas, on jouait dehors, on nageait dans le lac, on se faisait dévorer tout rond par les moustiques, on fuyait l'herbe à puce, on faisait des feux de camp, on sautait à partir de hauts rochers, on se promenait en canot, on se faisait piquer par les mouches noires, on ramassait du bois pour faire du feu et on cherchait la petite branche parfaite pour faire griller nos guimauves. La nourriture n'a jamais été aussi bonne que là. Bouleaux, érables, tamias, grenouilles et, avec un peu de chance, une petite expédition au Dairy Queen du village pour déguster une coupe glacée à la sauce chaude au chocolat. C'est à cela que ressemblaient nos étés. Peu importe pourquoi mes parents, des immigrants d'Israël, m'ont envoyée à des centaines de kilomètres de chez moi, dans la campagne ontarienne pendant des semaines l'été, j'en serai toujours reconnaissante.

Iris Nemani est l'agente de la programmation en chef au Harbourfront Centre.

IMAGE | Courtesy H2H Camp Shomria, *bottom 67* | *en bas 67*

150 | Caring Canadians
Des Canadiens de cœur

42 | GORDON LIGHTFOOT

While at my Uncle Ted's farm near London, Ontario, in 1947, on a lovely summer's morning, I discovered a nest of baby rabbits concealed in the vegetable garden behind the farm house. I thought the rabbits might be in danger and were in need of protection. The rabbits became my personal responsibility, as custodian for the rest of our family visit there. And I remember how sad I felt when I had to wish the rabbits goodbye upon our departure for home in Orillia.

Gordon Lightfoot, CC, OOnt has been described as Canada's greatest songwriter.

Nous sommes en 1947. Par un magnifique matin d'été, alors que je suis à la ferme de mon oncle Ted, à côté de London, en Ontario, je découvre un nid de lapereaux dans le potager, juste derrière la maison. Je suis alors convaincu que ces petits sont en danger et que je dois les protéger. Je me donne alors pour mission de les protéger pendant toute la durée de notre séjour chez mon oncle. Je me souviens de ma tristesse lorsque, avant de prendre le chemin du retour vers notre maison, à Orillia, je suis allé leur dire adieu.

Gordon Lightfoot, CC, OOnt est, selon plus d'un, le plus grand auteur-compositeur-interprète canadien.

IMAGE | Harold Whyte, Toronto Star. *Gordon Lightfoot, 1960s, top left* | *les années 1960, en haut à gauche*

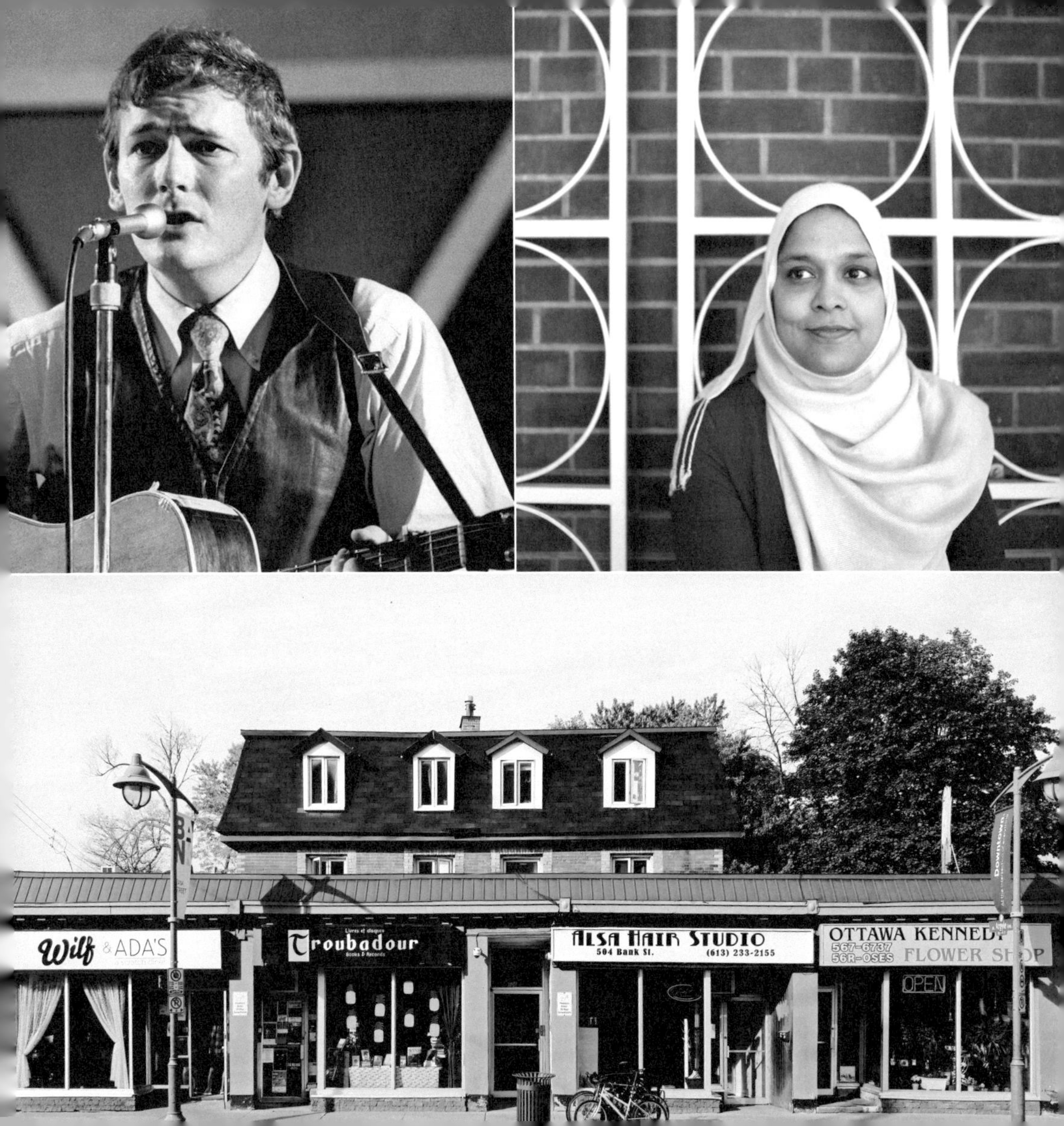
Wilf & ADA'S
Livres et disques
Troubadour
Books & Records
ALSA HAIR STUDIO
504 Bank St.
(613) 233-2155
OTTAWA KENNED
567-6737
56R-OSES
FLOWER SH P
OPEN
Downtown

43 | SABINA ALI

When I moved to Canada in 2008, the very first day I felt a sense of belonging to the Thorncliffe Park neighbourhood. I was in the local park the next day with my kids and was disappointed looking at the its conditions. I took this opportunity and developed a vision of improving the park by involving women and building their capacities to bring about positive changes in their lives and the community. It was there that I met a few women who became the Thorncliffe Park Women's Committee. We worked with city staff and local councillor and soon got the park supplies, new garbage bins, lights, benches, picnic tables, splash pad, a water fountain, a pathway, and new sod. It took many years of hard work and commitment to revitalize the park. Now the park has become a place of engagement with markets and events, and this gives me a sense of satisfaction of contributing to my community, my new home.

Sabina Ali is a community activist in Thorncliffe Park and the Chair of the Thorncliffe Park Women's Committee.

Dès mon premier jour au Canada, en 2008, j'ai ressenti un sentiment d'appartenance au quartier Thorncliffe Park. Le lendemain, je suis allée au parc avec mes enfants et j'ai été désolée de constater l'état dans lequel il se trouvait. J'ai donc décidé de mettre sur pied un projet consistant à revitaliser le parc en sollicitant la participation des femmes et en les aidant à opérer des changements positifs dans leur vie et leur collectivité. C'est là que j'ai fait la connaissance de femmes qui ont formé le Comité des femmes de Thorncliffe Park. Nous avons collaboré avec le personnel de la Ville et le conseiller du quartier et, très rapidement, nous avons obtenu le matériel nécessaire pour revitaliser le parc, de nouvelles poubelles, des lampadaires, des bancs, des tables de pique-nique, etc. Il a fallu de nombreuses années de dur labeur et de dévouement pour revitaliser le parc. Maintenant, il est devenu un lieu convivial, où se tiennent marchés et évènements. Enfin, cela me procure un fort sentiment de satisfaction d'avoir apporté ma contribution à ma collectivité, mon nouveau chez-moi.

Sabina Ali est la présidente du Comité des femmes de Thorncliffe Park ainsi qu'une militante communautaire de ce quartier.

IMAGE | Chloë Ellingson. *Sabina Ali, top right 71* | *en haut à droite 71*

44 | MORRIS ROSENBERG

A few blocks south of Ottawa's Parliament Hill lies Centretown, an area in which many residents struggle with homelessness, addiction, and mental illness. Many of these people are supported by agencies funded by the United Way.

A few years ago, I was in Centretown with a crowd of United Way volunteers. Our table was festooned with balloons; it held pamphlets and a cake. When a homeless man approached, I expected him to ask for money or food. Instead, he asked for information. And then, to my surprise, he reached into his pocket and donated a toonie.

My encounter with this man lasted no more than a minute, but its lesson stays with me today. The opportunity to contribute, in whatever way, confers dignity, while many of us will need a helping hand at some time. Acknowledging both aspects within ourselves enables us to see through difference to our common humanity.

Morris Rosenberg, CM is the President and CEO of the Pierre Elliott Trudeau Foundation.

À Ottawa, à quelques pâtés de maisons de la Colline du Parlement, se trouve le centre-ville — un quartier où de nombreux résidants luttent contre l'itinérance, la toxicomanie et la maladie mentale. Bon nombre de ces personnes reçoivent l'aide d'organismes financés par Centraide.

Il y a quelques années, j'étais au centre-ville avec une foule de bénévoles de Centraide. Sur notre table décorée de ballons se trouvaient des brochures et un gâteau. Quand un itinérant s'est approché, je m'attendais à ce qu'il demande de l'argent ou de la nourriture. Mais il a plutôt demandé des renseignements. Puis, à ma grande surprise, il a sorti de sa poche une pièce de deux dollars et nous l'a remise.

Ma rencontre avec cet homme n'a pas duré plus d'une minute, mais la leçon ne cesse de faire son effet. Le fait de donner, sous une forme ou une autre, confère une dignité, même si bon nombre d'entre nous un jour ou l'autre ont besoin d'aide. Mais en prenant conscience du fait que nous sommes habités par ces deux pôles, nous pouvons voir au-delà de nos différences et atteindre le cœur de notre humanité commune.

Morris Rosenberg, CM est le président-directeur général de la Fondation Pierre Elliott Trudeau.

IMAGE | Christopher Ryan. *Centretown, Ottawa, bottom 71* | *Centre-ville d'Ottawa, en bas 71*

45 | JEANNE BEKER

My parents immigrated to Canada in 1948, penniless Holocaust survivors determined to rebuild their shattered lives. They scrimped, saved, and in 1952 made a down payment on a three-storey house in Toronto's west end. Our family occupied the main floor, while a changing assortment of "roomers" inhabited the other two floors. We couldn't have afforded to live there if it hadn't been for tenants subsidizing our mortgage. But they provided more than that for our family. Sharing our home with that eclectic array of characters gave us a sense of camaraderie and extended family. My mother took joy in feeling the household was "leibidich"—"lively" in Yiddish—while my dad delighted in socializing with these international personalities, "interviewing" them at the kitchen table over shots of Crown Royal, exchanging life lessons. That same spirit of community nurtures me today in this glorious province, rife with diverse people who all have such wondrous stories to tell.

Jeanne Beker, CM is a fashion and lifestyle journalist, broadcaster, speaker, and author.

Mes parents ont immigré au Canada en 1948, sans le sou, des survivants de l'Holocauste déterminés à rebâtir leurs vies brisées. Ils ont ménagé, épargné et, en 1952, ils ont versé un acompte sur une maison à trois étages dans le secteur ouest de Toronto. Notre famille occupait le rez-de-chaussée, alors qu'un assortiment variable de « chambreurs » habitait les deux autres étages. Nous n'aurions pas eu les moyens de vivre là, n'eût été des locataires qui subventionnaient notre hypothèque. Mais ils apportaient plus que cela à notre famille. Le fait de partager notre demeure avec cet assortiment éclectique de personnages nous a donné un sens de camaraderie et de famille élargie. Ma mère prenait plaisir à ce que le ménage soit « leibidich »—« dynamique » en yiddish—tandis que mon père se plaisait à socialiser avec ces personnalités internationales, les « interviewant » à la table de la cuisine en prenant des gorgées de Crown Royal, et échangeant des leçons de vie. Ce même esprit de communauté me nourrit aujourd'hui dans cette glorieuse province, truffée de personnes diverses qui ont toutes de merveilleuses histoires à raconter.

Jeanne Beker, CM est une journaliste, animatrice, conférencière et auteure dans le domaine de la mode et des styles de vie.

IMAGE | Vik Pahwa. *Neighbourhood in Toronto* | *Un quartier à Toronto*

MAXIMUM
60
FIRE DEPT.

46 | THOMAS SYMONS

Many years ago, as a young student, I boarded a train at Union Station eastbound for Kingston where I was to attend some classes at Queen's University. As I waited for the train to depart, I noticed out my window a distinguished older gentleman making his way along the platform. He walked with some difficulty but with great dignity and a twinkle in his eye. As he approached, I heard him call out to the conductor, "Hello sir, how are you this fine day?"

"I am well, sir," replied the conductor, "and how are you?"

"I'm getting older," said the gentleman.

"Age is honour, sir," responded the conductor in an equally dignified manner.

As I approach my ninth decade, the remarks and actions of many people whom I have come to know across this great province give me confidence that age is still honour in Ontario.

Thomas Symons, CC, OOnt was the Founding President and Vice-Chancellor of Trent University (1961–1972).

Il y a fort longtemps, quand j'étais jeune étudiant, j'ai pris le train à la station Union, en direction est, vers Kingston, pour aller à l'Université Queen's. En attendant le départ du train, j'ai aperçu par la fenêtre un homme plus âgé, distingué, sur la plate-forme du métro. Il avançait avec peine, mais avec beaucoup de dignité, les yeux pétillants. Alors qu'il approchait, je l'ai entendu dire au conducteur : « Bonjour, Monsieur, comment allez-vous par cette belle journée? » « Ça va bien, Monsieur », a répondu le conducteur. « Et vous? » « Je vieillis », a répliqué l'homme. Et le conducteur de répondre avec tout autant de dignité : « Monsieur, l'âge, c'est l'honneur. »

À la veille de ma neuvième décennie, les remarques et les gestes de bien des gens avec lesquels je suis entré en contact dans cette merveilleuse province me font comprendre que l'âge, c'est toujours l'honneur en Ontario.

Thomas Symons, CC, OOnt président-fondateur de l'Université Trent, a occupé le poste de vice-recteur de 1961 à 1972.

IMAGE | Toronto Star, 1966. *Conductor and passenger, top left* | *Contrôleur et son passager, en haut à gauche*

47 | SANJAY KHANNA

Late-night Uber home mindlessly perusing emails on smartphone. In this woeful self-absorbed state, I realize I'm ignoring the driver who, on closer observation, appears wan and distant. Wondering how I might penetrate his raw loneliness, I gently ask: "Are you able to find meaning in making ends meet?" The driver perks up and replies, somewhat ruefully, "No one's asked this question before." Navigating midtown Toronto in the dark, he confides few people evince concern about him. "It's hurtful," I say. "One feels invisible." Soon, we near my apartment. The driver parks beside the building. Rather than bring our conversation to a close, we sit leisurely and converse more freely. We discuss his unrealized aspirations as an educated immigrant (and mine as a writer). We explore where to find meaning amidst life's vicissitudes. We depart smiling, thanking each other, knowing it's unlikely we'll meet again, yet understanding that one another's inner light was, in a sacred act of listening, briefly evoked.

Sanjay Khanna is a futurist who helps Canadians adapt to twenty-first century challenges such as climate change.

Tard le soir, assis dans un taxi, je consulte mes courriels sur mon téléphone. Je sors tout à coup de cet état de repli sur soi et me rends compte que j'ignore totalement le chauffeur. Il semble pâle et distant. Je me demande comment briser cette solitude et lui demande doucement : « Quel sens pensez-vous qu'il y a au fait d'essayer de joindre les deux bouts? ». Le chauffeur répond avec une pointe de regret : « Personne ne m'a jamais posé cette question ». Il me confie que peu de gens lui témoignent un intérêt. « C'est blessant », précise-t-il. « J'ai l'impression d'être invisible ». Nous approchons de mon appartement. Le chauffeur stationne l'auto près de mon immeuble. Au lieu de conclure notre conversation, nous prenons nos aises et échangeons plus librement. Nous parlons de sa situation d'immigrant instruit et de ses aspirations déçues (et des miennes en tant qu'auteur). Comment trouver un sens aux vicissitudes de la vie? On se quitte en souriant et en se remerciant, sachant que les chances de nous croiser à nouveau sont pratiquement nulles, mais heureux du moment que nous venons de partager par le simple fait d'avoir été à l'écoute l'un de l'autre.

Sanjay Khanna est un futurologue qui aide les Canadiens à s'adapter aux défis du XXIe siècle, comme celui du changement climatique.

IMAGE | Sam Javanrouh. *Midtown traffic, top right 76* | *Circulation au centre-ville, en haut à droite 76*

48 | ROY MCMURTRY

In 1978 Premier William Davis asked me to take on a second Cabinet position, namely to perform the duties of the Solicitor General as well as my role as the provincial Attorney General. The responsibilities of the Solicitor General included public safety, and it was in this role that I co-ordinated the provincial government's response to the Mississauga derailment on November 10, 1979.

The derailment involved a one-hundred-and-six-car train and included a chlorine-filled tank car. Fear of this deadly gas led to the evacuation of virtually all of the city of Mississauga involving some two hundred and fifty thousand people, probably the largest peacetime evacuation ever.

The evacuation lasted for about six days and was remarkable for the co-operation of the people of Mississauga throughout the emergency, which attracted worldwide media attention. There were no protests or vandalism, simply people helping people, which I believe is fundamental to the culture of Ontario.

The Hon. Roy McMurtry, OC, OOnt, QC is a former politician who served as the Chief Justice of Ontario (1996–2007).

En 1978, le premier ministre William Davis m'a demandé d'accepter un second poste au cabinet, celui de solliciteur général, et ce, en plus de mes fonctions de procureur général de la province. La sécurité publique était au nombre des responsabilités du solliciteur général. C'est donc moi qui ai coordonné la réponse du gouvernement provincial au déraillement survenu à Mississauga, le 10 novembre 1979.

Le train qui avait déraillé comprenait 106 wagons, dont un wagon-citerne rempli de chlorure. La peur générée par ce gaz mortel a entraîné l'évacuation de pratiquement tous les habitants de la ville de Mississauga, soit quelque 250 000 personnes. Il s'agissait probablement de la plus importante évacuation de l'histoire en temps de paix.

Pendant toute la durée de l'évacuation, environ six jours, la population de Mississauga a fait preuve d'un sens remarquable de la coopération, ce qui a attiré l'attention des médias du monde entier. Nous n'avons été témoins d'aucune manifestation ni d'aucun acte de vandalisme, mais d'une entraide pure et simple, ce qui, je crois, constitue le cœur de la culture de l'Ontario.

L'honorable Roy McMurtry, OC, OOnt, cr est un ancien politicien qui a occupé le poste de juge en chef de l'Ontario de 1996 à 2007.

IMAGE | Boris Spremo, Toronto Star, 1979, *bottom 76* | *en bas 76*

49 | JANICE STEIN

On a crisp fall day, I ducked into the subway for a quick ride downtown. I looked for a seat in the crowded car, but it was full. Within a few minutes, a young man stood up and offered me his seat. I accepted with gratitude and asked him where he was from; I could tell from his halting English that he had recently arrived. He told me that he had come from Aleppo and we began a lively conversation about a city that I had visited more than once.

Just then the subway lurched, stopped, and the lights went out. The young man began to tremble; he told me that when he finds himself in a confined dark space, he returns to the cellar he hid in when Aleppo was bombed. I reached out to hold his hand and reassured him that he was now in Toronto. He grabbed my hand and held tight — to Toronto.

Janice Stein, CM, OOnt is the Founder of the Munk School of Global Affairs at the University of Toronto.

Par une journée fraîche d'automne, je me suis faufilée dans le métro pour aller vite au centre-ville. J'ai cherché une place dans la voiture achalandée, mais elle était pleine. Sans tarder, un jeune homme m'a cédé sa place. J'ai accepté avec gratitude et je lui ai demandé d'où il venait. Son anglais hésitant me faisait croire qu'il venait d'arriver en ville. Il m'a raconté qu'il était d'Alep, ce qui a engendré une conversation animée au sujet d'une ville que j'avais visitée plus d'une fois.

À ce moment-là, la voiture a tangué, s'est arrêtée et nous avons été plongés dans le noir. Le jeune homme a commencé à trembler. Il m'a raconté que lorsqu'il se retrouve dans un lieu sombre et confiné, cela le ramène dans la cave où il se cachait pendant les bombardements à Alep. Je lui ai tendu la main et l'ai rassuré, lui disant qu'il était bien à Toronto. Il m'a pris la main, la serrant bien fort, jusqu'à Toronto.

Janice Stein, CM, OOnt est la fondatrice de l'École Munk des affaires internationales de l'Université de Toronto.

IMAGE | Phontip Sananikone. *Toronto subway train* | *Le métro de Toronto*

WE'RE SERIOUS
YOU

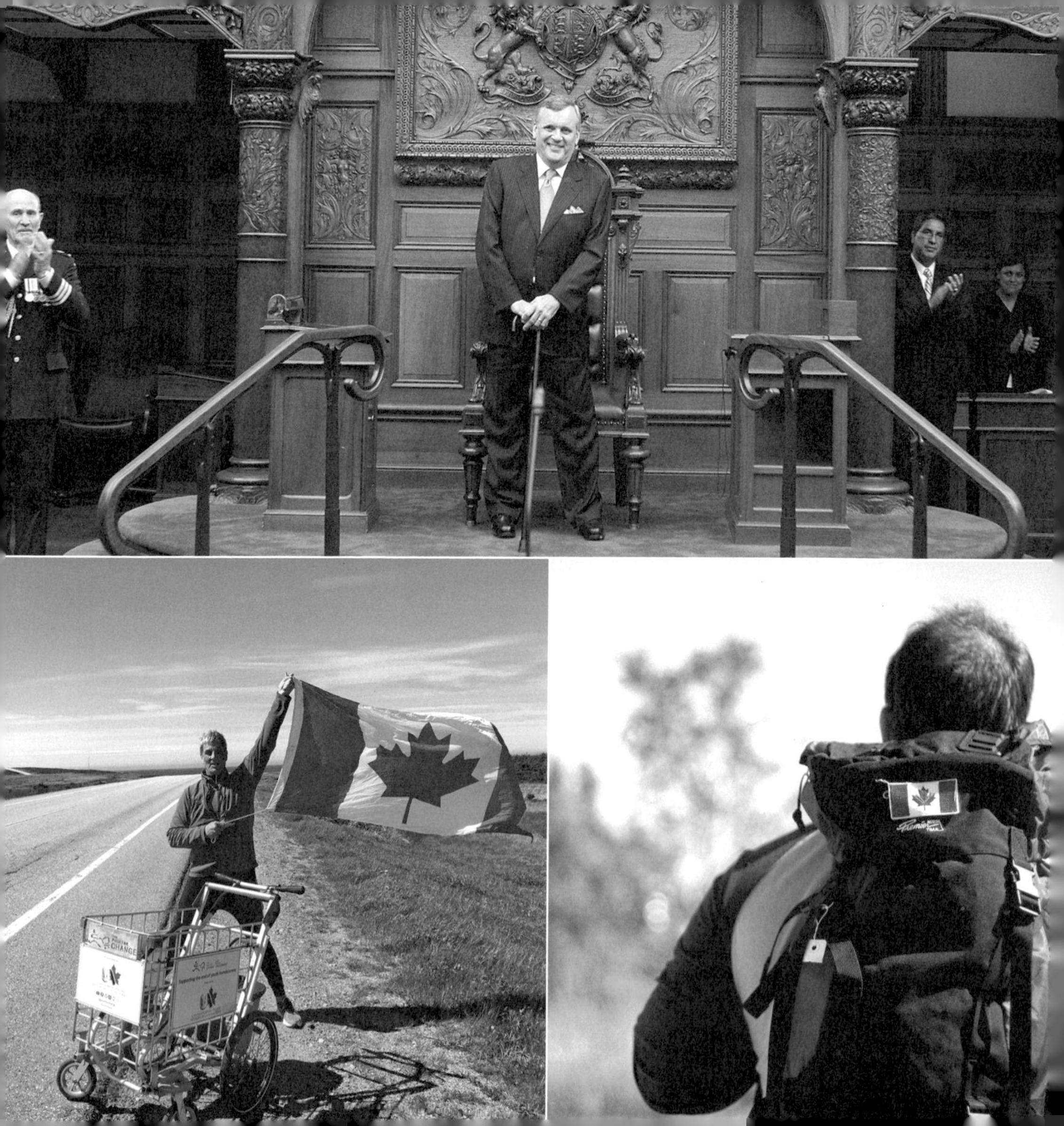

50 | DAVID ONLEY

Using my long leg braces and standing independently on the floor of the Legislative Chamber, I had just been sworn in as Ontario's twenty-eighth Lieutenant Governor, the first with a physical disability.

Yet I still required the arm of my Chief Aide-de-Camp, Colonel Sandy Cameron, to climb the three steps to the Throne to deliver my installation address. I noted that need for assistance and concluded:

"Even as the longest journey begins with a single step, so too, the final steps to accessibility for an individual to achieve their potential may depend simply on another person's strong arm, a helping hand, and an open mind. I am asking you today to be that person, be that role model."

Countless Ontarians are role models of open minds and helping hands, enabling those with disabilities to achieve their full potential and, in so doing, help define us as a people.

The Hon. David Onley, CM, OOnt served as the twenty-eighth Lieutenant Governor of Ontario (2007–2014).

M'aidant de mes longues orthèses pour les jambes, je me tenais tout seul sur le plancher de l'Assemblée législative. Je venais d'être assermenté 28e lieutenant-gouverneur de l'Ontario, le premier à être atteint d'un handicap physique.

J'ai tout de même dû tenir le bras de mon aide de camp principal, le colonel Sandy Cameron, pour monter les trois marches menant au trône afin d'y prononcer mon allocution d'installation. J'ai fait allusion à ce fait dans mon discours et j'ai conclu en disant :

« Le plus long des voyages commence par un seul pas, et il en va de même des derniers pas donnant lieu à l'accessibilité d'une personne. Pour qu'elle se réalise pleinement, elle peut simplement dépendre du bras fort d'une autre personne, d'une main tendue et d'une ouverture d'esprit. Aujourd'hui, je vous demande d'être cette personne, d'être ce modèle. »

D'innombrables Ontariens sont des modèles d'ouverture d'esprit et de mains tendues, aidant les personnes atteintes d'un handicap à réaliser toutes leurs possibilités. Ce faisant, leurs gestes nous aident à nous définir en tant que peuple.

L'honorable David Onley, CM, OOnt a été le 28e lieutenant-gouverneur de l'Ontario. Il a occupé ces fonctions de 2007 à 2014.

IMAGE | *David Onley during his installation ceremony, top* | *David Onley lors de sa cérémonie d'investiture, en haut*

51 | JOE ROBERTS

Growing up in Barrie, I never dreamed I would end up a homeless youth. I left home and school before sixteen years of age and might not have survived if it were not for supports. With help from my mom and an Ontario Provincial Police officer I got a second chance and turned my life around in a significant way.

I wanted to "pay it forward" so I thought, "why not walk across Canada to help prevent youth homelessness?" After all, crossing Canada for charity is kind of a pastime of ours. That's how the Push for Change started.

As of today I have walked four thousand kilometres across Canada and have travelled through countless communities. And one thing is constant: Canadians will always rise up to meet you when you take a stand for something you believe in. That's what makes us special. I'm looking forward to walking into Barrie.

Joe Roberts is an author, motivational speaker, and CEO of Mindware Design Communications.

Ayant grandi à Barrie, je n'ai jamais imaginé que je finirais dans la rue. J'ai quitté la maison et l'école avant l'âge de 16 ans, et je n'aurais peut-être pas survécu sans l'aide que j'ai eue. Grâce à ma mère et à un agent de la police provinciale, j'ai eu une seconde chance et changé complètement de vie.

Je voulais « donner au suivant », alors je me suis dit « pourquoi ne pas traverser le Canada à pied pour contribuer à la prévention de l'itinérance chez les jeunes? ». Après tout, traverser le Canada pour la charité, c'est un peu notre passe-temps. C'est ainsi que s'est fait le déclic.

J'ai déjà franchi 4 000 kilomètres sur le territoire canadien et j'ai arpenté d'innombrables collectivités. Mais une chose est constante : les Canadiens se déplacent toujours pour venir rencontrer quelqu'un qui agit par conviction. C'est ce qui nous distingue. J'ai hâte de me rendre à Barrie.

Joe Roberts, directeur général de Mindware Design Communications, est aussi un auteur et un conférencier motivateur.

IMAGE | The Push for Change. *Joe Roberts, bottom left 82 | en bas à gauche 82*

52 | RYAN PORTER

Six years ago, after speaking at a student conference for young people not going to university or college, I stepped off stage and a student came and introduced himself to me as Michael.

With chin quivering, looking like he was ready to cry, he thanked me for being there and then told me his friends and family didn't know he was at the conference. When I asked why, he responded, "Do you have any idea how embarrassing it is when your friends are opening a university acceptance letter and you're the loser in the corner who doesn't know what he's doing with his life?"

Education isn't about funnelling kids into university and college. It isn't about making young people feel like they've failed the system because they aren't taking the prescribed path. It's about empowering young people with the tools to create a successful future, regardless of their post-secondary path.

Ryan Porter is the Founder and CEO of Raise Your Flag, an organization that helps people without degrees to find work (raiseyourflag.com).

Il y a six ans, alors que je prenais la parole lors d'une conférence étudiante s'adressant à des jeunes qui ne fréquentaient ni le collège ni l'université, un jeune homme m'a abordé alors que je descendais de l'estrade. Il s'est présenté sous le nom de Michael.

Son menton tremblait, comme s'il était au bord des larmes. Il m'a remercié d'être là et m'a confié que ni ses amis ni sa famille ne savaient qu'il assistait à cette conférence. Lorsque je lui ai demandé pourquoi, il m'a répondu : « Savez-vous à quel point il est embarrassant d'avoir des amis qui déplient une lettre d'admission provenant d'une université, tandis que vous êtes le paumé recroquevillé dans un coin qui ne sait pas ce qu'il va faire de sa vie? ».

Éduquer, ce n'est pas envoyer des jeunes à l'université ou au collège. Ce n'est pas donner à des jeunes l'impression qu'ils ont fait faux bond au système parce qu'ils n'empruntent pas les sentiers battus. L'éducation, c'est donner aux jeunes les moyens de créer un avenir prospère, quel que soit le chemin qu'ils choisissent après le secondaire.

Ryan Porter est le fondateur et directeur général de l'organisme Raise Your Flag qui aide les personnes sans diplôme à trouver du travail (raiseyourflag.com).

IMAGE | Lee Brown, CP. *Canadian backpacker, bottom right 82* | *Un routard canadien, en bas à droite 82*

ROMMuseumStore | BoutiqueduROM

53 | WILLIAM THORSELL

Before I moved to Toronto from Edmonton in 1984, I visited often as a journalist on the snoop. Toronto was after all, Canada's Big Apple, the centre of English-language media, publishing, and trends!

I was sitting on a bench in Yorkville, where someone had left a newspaper on a ledge. The wind scattered it around. To my amazement, a man got up, chased down the many pages, and placed them in a trash can. I did not witness that kind of thing in Edmonton then.

"The big time" rests on thousands of smaller acts, and I wanted to live in a place that people cared for from the bottom up —from litter to all the latter. Twenty years later, as Director of the Royal Ontario Museum, I started my days trolling for litter in the lobby and sidewalks out front. Others joined in. Then we built the Crystal.

William Thorsell, OOnt was the Editor-in-Chief of The Globe and Mail (1989–2000) and the Director and CEO of the Royal Ontario Museum (2000–2010).

Avant de partir d'Edmonton pour m'établir à Toronto en 1984, j'y venais souvent « fouiner » dans le cadre de mon travail comme journaliste. Après tout, Toronto n'était-elle pas la « Grosse pomme du Canada », le centre névralgique des médias anglophones, de l'édition et des tendances!

J'étais assis sur un banc à Yorkville; quelqu'un y avait laissé un journal. Puis, le souffle du vent fit s'envoler les pages. À mon grand étonnement, un homme s'est levé et s'est mis à courir après les pages avant de les jeter à la poubelle. Je n'avais jamais vu ça à Edmonton avant.

Ce sont ces milliers de petits gestes banals qui font toute la différence. Je voulais vivre dans un endroit dont les gens sont fiers, peu importe la place qu'ils y occupent. Vingt ans plus tard, assis dans mon fauteuil de directeur du Musée royal de l'Ontario, je repense à ces journées de mes débuts où, déambulant dans le hall et sur les trottoirs d'en face, je fouillais les ordures. D'autres se sont joints à moi, puis nous avons bâti le Cristal.

William Thorsell, OOnt a occupé les fonctions de rédacteur en chef du Globe and Mail de 1989 à 2000, et de directeur général du Musée royal de l'Ontario de 2000 à 2010.

IMAGE | Chris Thomaidis. *Royal Ontario Museum, top* | *Musée royal de l'Ontario, en haut*

54 | MAAYAN ZIV

We took the ferry to Ward's Island and made our way to the boardwalk. We began all our trips that way, on the same trail, like a ritual. It was quiet and warm, and a soft breeze reminded us that we were near the lake. Soon we came to the point where the dirt path met the boardwalk, but this time the step up was higher. The concrete ledge was jagged and my wheels spun in the dirt, struggling to make the jump. We forged a makeshift ramp from branches and loose rocks. With enough speed we thought I could make it, but my wheelchair clanked and rattled and soon I was stuck on the ledge. Pushes weren't helping. We weren't sure what to do. Soon we were met by four young men on the trail. Without much discussion each of them grabbed hold of the chair, and on a count of three lifted me and my four-hundred-pound wheelchair to freedom.

Maayan Ziv is a photographer, entrepreneur, and accessibility advocate.

Nous avons pris le traversier de Ward's Island et nous sommes arrivés au trottoir de bois. Nous commencions tous nos voyages comme cela en empruntant le même sentier, comme un rituel. Tout était calme, le temps était doux et une légère brise nous rappelait notre proximité du lac. Bientôt, nous sommes arrivés là où se croisent le sentier de terre et le trottoir, mais cette fois-ci, la marche était plus haute. Le bord de ciment était inégal et mes roues glissaient comme j'essayais de passer par-dessus. Nous avons fabriqué une rampe à l'aide de branches et de pierres. Nous pensions qu'avec un bon élan, je pouvais enjamber le bord du trottoir, mais mon fauteuil roulant s'est embourbé et il s'est vite retrouvé accroché au bord. Me pousser n'aidait pas. Nous ne savions plus trop quoi faire. C'est alors que quatre jeunes hommes sont arrivés. Sans perdre de temps, chacun a pris un côté de mon fauteuil et, au compte de trois, ils m'ont levée ainsi que mon fauteuil de 400 livres et m'ont liberée de cette fâcheuse position.

Maayan Ziv est une photographe, entrepreneure et défenseure des droits à l'accessibilité.

IMAGE | Maayan Ziv for PhotoSensitive. *Bottom left 86* | *en haut à gauche 86*

55 | KAMAL AL-SOLAYLEE

Toronto's transit system may get hostile reviews from its riders, but my sense of place in Ontario began with a ride on its subway twenty years ago. It was my second day in Toronto, having arrived the night before (from England) on a landed-immigrant visa. I didn't know what to expect of Canada, but my experience of life in England taught me to be nervous about public transport, especially at night. Inebriated weekend crowds always hurled verbal or physical abuse at people of colour. But as I travelled through the Yonge line from Downsview to Dundas station, I was struck by the city's mix of racial groups, languages and demographics. I no longer felt like an outsider but an immediate part of the city's long history of welcoming strangers. This funding-starved transit system continues to be a gateway into the richness of Ontario's and Canada's largest city. Long may it stay that way.

Kamal Al-Solaylee is a university professor, journalist, and author.

Même si le réseau de transport collectif de Toronto suscite des commentaires peu élogieux de la part de ses usagers, c'est dans le métro que mon sentiment d'avoir ma place en Ontario est né, il y a 20 ans. C'était mon deuxième jour à Toronto, j'étais arrivé d'Angleterre la veille avec un visa de résident permanent. Je ne savais pas à quoi m'attendre du Canada, mais mon expérience de vie en Angleterre m'avait appris à craindre les transports publics, surtout la nuit. Les usagers éméchés du la fin de semaines avaient l'habitude d'agresser verbalement et physiquement les gens de couleur. En me déplaçant en métro, sur la ligne Yonge entre les stations Downsview et Dundas, j'ai été stupéfié par la diversité démographique, linguistique et raciale qu'on y retrouvait. Je ne me sentais plus comme un étranger, mais déjà comme faisant partie intégrante de l'histoire de cette ville d'accueil pour les étrangers. Ce système de transport en commun sous-financé demeure malgré tout une fabuleuse porte d'entrée sur la diversité de la plus grande ville de l'Ontario et du Canada. Espérons que ce sera le cas longtemps encore.

Kamal Al-Solaylee est un journaliste, auteur et enseignant universitaire.

IMAGE | Phontip Sananikone. *Subway train, bottom right 86* | *Le métro, en bas à droite 86*

56 | THE TERRY FOX FAMILY | LA FAMILLE DE TERRY FOX

Ontario is the only province where collectively as a family we were able to take in the Marathon of Hope. On day ninety-one, July 11, 1980, we were witness to Terry arriving in Toronto where crowds lined the streets cheering him on and where donation boxes were replaced by garbage bags to receive the city's generosity. This would be the Marathon of Hope pinnacle where the awareness and support that Terry dreamed of while running two thousand one hundred and forty-eight Canadian miles previously was now all around him. It was also at this moment that Terry's vision would crystallize, where he would articulate that he was only one Marathon of Hope member, that he was equal with everyone who had given a dollar, that he was no better and no worse. The province of Ontario embraced our son and brother as if he was one of their own, and that enthusiasm has not waned close to four decades later.

Terry Fox, CC was an athlete, humanitarian, and activist for cancer research. This story was submitted by his brother, Darrell, on behalf of his brother Fred, sister Judith, and nine nieces and nephews.

L'Ontario est la seule province où ensemble, en tant que famille, nous avons été en mesure de réaliser le Marathon de l'espoir. Le 11 juillet 1980, le 91e jour du périple de Terry, nous avons été spectateurs de son arrivée à Toronto, où les rues étaient bondées de gens venus l'applaudir et les boîtes de dons remplacées par des sacs à ordures pour contenir toute la générosité des habitants de la ville. Ce fut l'apogée du Marathon de l'espoir, le moment où toute la conscientisation et le soutien dont Terry avait rêvé en parcourant 3 457 kilomètres à travers le Canada à la course s'étaient concrétisés tout autour de lui. C'est aussi à ce moment que la vision de Terry est devenue réalité, qu'il a déclaré n'être qu'un participant du Marathon de l'espoir, qu'il était l'égal de tous ceux qui avaient donné un dollar et qu'il ne valait ni plus ni moins qu'eux. La province de l'Ontario a accueilli notre fils et notre frère comme s'il était l'un des leurs, et cet enthousiasme ne s'est nullement dissipé près de quatre décennies plus tard.

Terry Fox, CC était un athlète, humanitaire et militant pour la recherche sur le cancer. Ce récit a été raconté par son frère Darrell, au nom de son frère Fred, de sa sœur Judith et de neuf nièces et neveux.

IMAGE | Gail Harvey. *Terry Fox, 1980, left* | *à gauche*

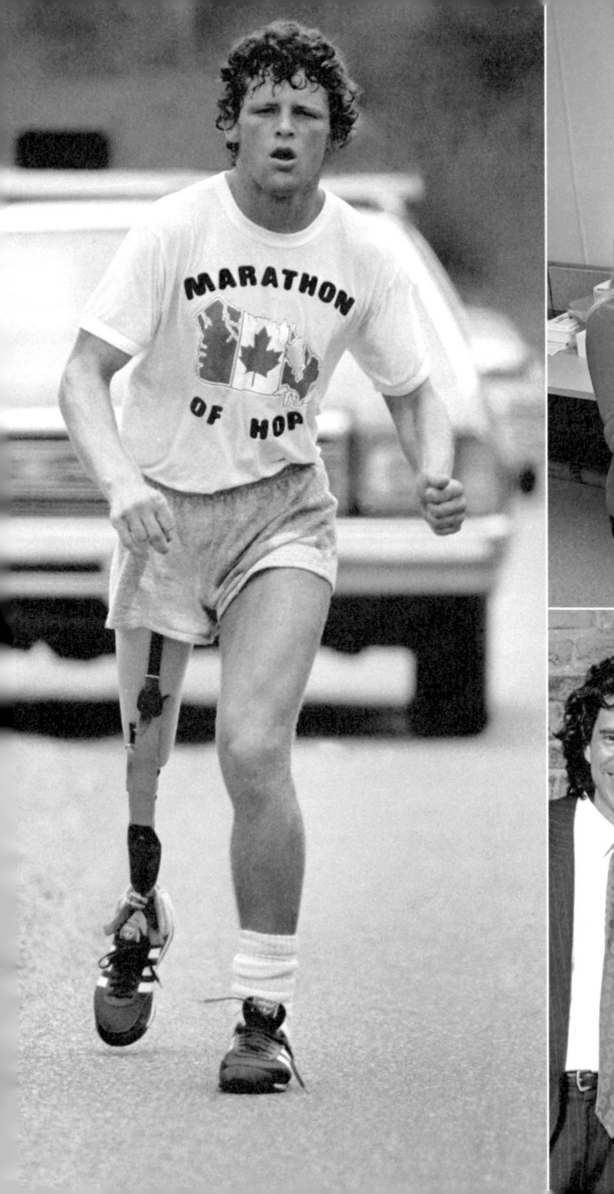
MARATHON
OF HOP

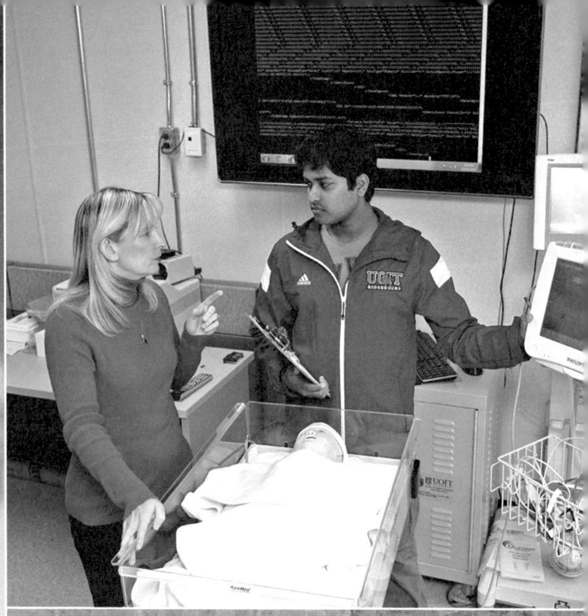
UOIT
UOIT
PHILIPS

Help! Free Writers in

57 | CAROLYN MCGREGOR

An unborn child brings anticipation of the life they will go on to lead and the memories you will cherish together. That world can be shattered when that child dies prematurely. I know this because I lived this journey in 1999 when my daughter died at twenty-seven weeks gestation. It made me realize that I wanted to use my computing skills to help prevent this happening to others.

My vision became a reality when I moved from Australia to Canada in 2007 to become a Canada Research Chair at the University of Ontario Institute of Technology so I could develop and use new "Big Data" tools to analyze streams of complex medical data to help doctors watch for complications those babies might develop.

The people, organizations, and governing bodies of Ontario have welcomed me. That welcoming nature and innovative spirit is the very heart of what makes Ontario Ontario.

Carolyn McGregor, AM holds the Canada Research Chair at the University of Ontario Institute of Technology. She was appointed a member of the Order of Australia in 2014.

Attendre un enfant, c'est imaginer sa vie et fabriquer à l'avance tous les souvenirs que vous partagerez ensemble. Mais tout peut soudainement s'effondrer quand l'enfant à naître meurt prématurément. Je le sais, car je l'ai vécu en 1999, lorsque ma fille, à 27 semaines de gestation, est décédée. J'ai alors décidé de miser sur mes compétences en informatique pour que cela n'arrive pas à d'autres personnes.

Mon idée a pu se concrétiser lorsque j'ai quitté l'Australie pour le Canada, en 2007, afin d'occuper une chaire de recherche canadienne, à l'Institut de technologie de l'Université de l'Ontario. Là, j'ai eu toute la latitude voulue pour mettre au point et exploiter de nouveaux outils de données massives permettant d'analyser des flux de données médicales complexes, ce qui aide les médecins à surveiller les complications pouvant survenir pendant la gestation.

L'Ontario — ses gens, ses organismes, ses instances dirigeantes — m'a accueillie à bras ouverts. Cette chaleur humaine et ce sens de la découverte sont au cœur de l'Ontario. C'est ce qui fait que l'Ontario est l'Ontario.

Carolyn McGregor, AM est titulaire de la Chaire de recherche du Canada à l'Institut universitaire de technologie de l'Ontario. Elle a été investie à titre de membre de l'Ordre de l'Australie en 2014.

IMAGE | UOIT. *C. McGregor in lab, top right 91* | *IUTO. L'auteure au laboratoire, en haut à droite 91*

58 | ELEANOR WACHTEL

Almost twenty-five years ago, Salman Rushdie made a surprise visit to Canada. Of course, because of the fatwa, all of his appearances had to be by surprise. Until the day before his arrival, I thought I was going to England to interview him. In our hour together, he was in good spirits and so relieved to be here. When he left his home in February 1989, he had no idea that he wouldn't be able to return — possibly forever. When I asked him if he thought it would ever end, he said: "Oh yes. One can't afford to lose, therefore one has to win."

On stage the next evening, the astonishing finale to the PEN fundraiser was not only the appearance of Rushdie, but Ontario Premier Bob Rae, the first head of government anywhere in the world to publicly greet him. It was a proud moment for freedom of speech.

Eleanor Wachtel, OC is the Host of CBC's "Writers & Company" and the author of five books.

Il y a près de 25 ans, Salman Rushdie est arrivé au Canada par surprise. Bien entendu, en raison de la fatwa, toutes ses apparitions devaient être inattendues. La journée précédant son arrivée, je me préparais encore à me rendre en Angleterre pour l'interviewer. Durant l'heure passée ensemble, il était de bonne humeur et très soulagé d'être ici. Quand il a quitté son pays en février 1989, il ne se doutait pas qu'il n'allait — peut-être jamais — pouvoir y retourner. Quand je lui ai demandé s'il croyait qu'un jour tout ça prendrait fin, il m'a répondu : « Certainement. Comme on ne peut se permettre de perdre, il faut alors gagner ».

Le soir suivant, à l'occasion d'un dîner de gala, la campagne de financement de PEN Canada s'est clôturée de brillante façon non seulement avec l'apparition sur scène de Rushdie, mais aussi du premier ministre de l'Ontario, Bob Rae, le premier chef de gouvernement au monde à l'appuyer en public. C'était un grand moment pour la liberté d'expression.

Eleanor Wachtel, OC anime l'émission « Writers & Company » à la CBC et est l'auteure de cinq livres.

IMAGE | Courtesy PEN. *Salman Rushdie in Toronto, bottom right 91* | *Salman Rushdie à Toronto, en bas à droite 91*

59 | BOBBY ORR

While growing up in Parry Sound I experienced a small-town Northern Ontario environment. My upbringing brought with it some tremendous advantages. For example, I was the beneficiary of a wonderful group of community-minded volunteers, the kind of people who put others ahead of themselves. There was never a shortage of men and women willing to mentor the children of our community whether during baseball in the summer or hockey in the winter.

My first love was hockey. Along with my buddies we would often head out to the Bay once the ice had formed and play shinny until the sky went dark. I learned the skills of handling a puck during those sessions. But you could also find us playing road hockey any time of the year on local streets —we didn't need ice to keep our hockey dreams alive.

Parry Sound will always be home.

Bobby Orr, OC is widely acknowledged as one of the greatest hockey players of all time.

À Parry Sound, où j'ai grandi, j'ai pu faire l'expérience de ce qu'était une petite ville de l'Ontario. Mon éducation a été une grande source de richesses. Par exemple, j'étais le bénéficiaire d'un merveilleux groupe de bénévoles communautaires, le genre de personnes qui pensent aux autres avant de penser à elles. On ne manquait jamais de femmes et d'hommes pour encadrer les enfants de notre collectivité, que ce soit pendant la saison du baseball en été, ou du hockey en hiver.

Mon premier amour, ce fut le hockey. Mes copains et moi nous rendions souvent sur la baie quand la glace y était épaisse, et nous improvisions des parties jusqu'à ce que le soleil se couche. C'est pendant ces parties que j'ai appris à lancer une rondelle. On nous voyait aussi jouer au hockey dans la rue, quelle que soit la saison—on entretenait nos rêves de hockey même sur l'asphalte.

Parry Sound, ce sera toujours chez moi.

Bobby Orr, OC est reconnu comme l'un des plus grands joueurs de hockey de tous les temps.

IMAGE | Ray Lussier/Boston Record American/Boston Herald, *Bobby Orr, top* | *en haut*

60 | DENISE PINTO

I was first touched by Jane Jacobs's ideas in a North York library. Searching for great Canadian women, I found her wedged between dog-eared volumes by William H. Whyte and Lewis Mumford. Weeks later, I was reading her voraciously, rattling home on a streetcar, with the murmur of ten languages spoken around me, swinging construction cranes overhead, and schoolchildren on sidewalks below. Who was this person who saw the same city I saw, with its lovely and messy mix of people, systems, and ideas?

Nearly a decade later, I took over the grassroots movement named in her honour: Jane's Walk, a massive festival of citizen-led walking tours that take place from coast to coast, and around the world. By speaking her truth and by being a good listener and a better asker of questions than most, Jane opened me up to the remarkable ordinaries —and now my neighbours open me up in the very same way.

What a gift she left us.

Denise Pinto is the Executive Director of Jane's Walk, a community walking project honouring writer and activist Jane Jacobs, OC, OOnt.

J'ai été touchée par les idées de Jane Jacob. Je faisais une recherche sur les femmes qui ont marqué le Canada et j'ai trouvé ses livres, coincés entre des volumes usés de William H. Whyte et de Lewis Mumford. Plus tard, je dévorais ses ouvrages, assise dans un tramway, entourée de gens qui parlaient une dizaine de langues, des enfants se promenant près de là. Qui était cette personne qui voyait la même ville que moi, avec son adorable et confus mélange de gens, de systèmes et d'idées?

Une décennie plus tard, j'ai pris la tête d'un mouvement social appelé Les promenades de Jane, un festival de promenades dirigé par des citoyens, qui a lieu partout au pays et dans le monde. De par sa capacité à exprimer sa propre vérité, à écouter et à poser des questions plus efficacement que la plupart des gens, Jane m'a offert la possibilité de m'ouvrir à l'extraordinaire de l'ordinaire —et maintenant, mes voisins m'ouvrent les yeux de la même façon.

Quel merveilleux cadeau elle nous a fait.

Denise Pinto est la directrice générale des Promenades de Jane, un projet communautaire de marche en l'honneur de l'auteure et militante Jane Jacobs, OC, OOnt.

IMAGE | Star Archives. *Portrait of Jane Jacobs, bottom 94* | *Portrait de Jane Jacobs, en bas 94*

150 | Rights and freedoms
Droits et libertés

61 | JANIS MONTURE

As a Mohawk woman born and raised at Six Nations of the Grand River reserve, I spent my childhood living in a house on a hill on Third Line Road alongside the Boston Creek.

As long as I can remember, my people's relationship has much stronger ties to the Crown than it does to Canada, because of the Crown's fiduciary and treaty rights to my people. When I was young I never saw my people as part of Canada, mostly because I never saw my people in government or on television.

My connection is to our land and what was promised in our treaty, much of which is gone, as we have less than five per cent of the land promised that we and our posterity were to enjoy forever.

Janis Monture is the Executive Director of the Woodland Cultural Centre and a member of the Six Nations of the Grand River.

Je suis une Mohawk. Je suis née et j'ai grandi dans la réserve des Six Nations de la rivière Grand. Mon enfance, je l'ai vécue dans une maison nichée sur une colline du chemin Third Line longeant Boston Creek.

D'aussi loin que je me souvienne, mon peuple a toujours entretenu des liens plus étroits avec la Couronne qu'avec le Canada, en raison du rapport de fiduciaire entre la Couronne et mon peuple, et des droits issus des traités. Quand j'étais petite, je pensais que mon peuple ne faisait pas partie du Canada, principalement parce que je n'ai jamais vu personne de mon peuple au sein du gouvernement ni à la télévision.

C'est à notre territoire que je suis attachée, aux promesses qui ont été faites dans nos traités. Beaucoup se sont envolées, puisque nous possédons moins de 5 % du territoire promis dont nous et nos enfants devions profiter à jamais.

Janis Monture, membre des Six Nations du territoire de la rivière Grand, est la directrice générale du Woodland Cultural Centre.

IMAGE | Woodland Cultural Centre. *Art installation, top left* | *Installation artistique, en haut à gauche*

62 | TIM CRAWFORD

I became interested in Oro's African church after returning to the township on retirement. Until that time, I did not know its true significance for the province's Black heritage.

In 1793, Black people in Upper Canada — now Ontario — were given land grants for anywhere in the province. Land ownership provided them with citizenship, freedom, dignity, and equality, long before the famous underground railroad and the global emancipation of slaves. Later, in 1819, Black people were provided with grants of land in their own designated farming community,the Wilberforce Settlement in Oro Township.

The Oro African Church, the sole remaining building of the Wilberforce Settlement, symbolizes this profound milestone of a new humanitarian approach to racial equality for Canada. In 2002, I and others succeeded in having the church and its cemetery designated a national historic site. Perhaps UNESCO should designate the larger Wilberforce Settlement as a world heritage site?

Tim Crawford is an educator, author, and local historian based in Oro-Medonte.

Je me suis intéressé à l'église africaine d'Oro après être retourné dans le canton lorsque j'ai pris ma retraite. Jusqu'alors, je ne connaissais pas sa véritable importance pour le patrimoine des Noirs de la province.

En 1793, les Noirs du Haut Canada — aujourd'hui l'Ontario — se voyaient accorder des concessions de terres pour n'importe quel endroit dans la province. La propriété foncière les habilitait à la citoyenneté, la liberté, la dignité et l'égalité, longtemps avant le fameux chemin de fer souterrain et l'émancipation mondiale des esclaves. Plus tard, en 1819, des concessions de terre ont été accordées aux Noirs dans leurs propres collectivités agricoles désignées, l'établissement Wilberforce, dans le canton d'Oro.

L'église africaine d'Oro, le seul immeuble restant de l'établissement Wilberforce, symbolise ce jalon important d'une nouvelle approche humanitaire en matière d'égalité raciale pour le Canada. En 2002, moi-même et d'autres avons réussi à faire en sorte que l'église et son cimetière soient désignés comme lieu historique national. Peut être que l'UNESCO devrait désigner l'établissement Wilberforce en général en tant que site du patrimoine mondial?

Tim Crawford est un éducateur, auteur et historien qui vit à Oro-Medonte.

 IMAGE | Sara Carson / Metroland. *Oro African Church, top right 98* | *L'église africaine d'Oro, en haut à droite 98*

63 | AVVY YAO YAO GO

The first wave of Chinese immigrants came to Canada during the Gold Rush more than one hundred and fifty years ago. While most of them settled on the west coast, some did make Ontario their home.

From Confederation to 1947, Chinese-Canadians were subject to legally sanctioned racism and exclusion. They were denied the right to vote and were barred from entering many professions. Faced with limited economic opportunities, early Chinese started their own restaurants and laundry businesses. In an attempt to snuff out Chinese-owned businesses, many provinces including Ontario banned Chinese restaurants from hiring white women. In 1902, Toronto passed a licence fee for laundry businesses to discourage Chinese immigration.

Today, the Chinese-Canadian community has become a vibrant part of Ontario. But with many Chinese-Canadians still living in society's margin due to racism and poverty, their struggle for equality continues.

Avvy Yao Yao Go, OOnt is a lawyer and first-generation Chinese-Canadian working in Toronto's marginalized racial communities.

La première vague d'immigrants chinois est arrivée au Canada durant la ruée vers l'or, il y a plus de 150 ans. Alors que la plupart d'entre eux se sont établis sur la côte Ouest, certains ont élu domicile en Ontario.

Depuis la Confédération jusqu'en 1947, les Canadiens chinois faisaient l'objet de racisme et d'exclusion sanctionnés par la loi. Ils ont été privés du droit de vote et il leur était interdit d'exercer certaines professions. Face à des possibilités économiques restreintes, les premiers Chinois ont lancé leurs propres entreprises de restauration et de buanderie. Dans un effort pour étouffer les entreprises appartenant à des Chinois, de nombreuses provinces, dont l'Ontario, ont interdit aux restaurants chinois d'embaucher des femmes blanches. En 1902, Toronto a adopté un droit de licence pour les entreprises de buanderie, afin de décourager l'immigration chinoise.

Aujourd'hui, la communauté canadienne chinoise est devenue une part dynamique de l'Ontario. Cependant, comme de nombreux Canadiens chinois vivent toujours en marge de la société en raison du racisme et de la pauvreté, leur lutte pour l'égalité se poursuit.

Avvy Yao Yao Go, OOnt est une avocate sino-canadienne de première génération qui travaille auprès des communautés raciales marginalisées de Toronto.

IMAGE | The Lor Family, Brockville. *Quong Sing Laundry, 1926, bottom 98* | *en bas 98*

64 | PETER MANSBRIDGE

Half crawling, half walking along a century-old tunnel under Vimy Ridge in France, I came face-to-face with Ontario. Vimy is a very special part of our history. Canadian troops took the ridge after both the French and the British failed to wrest it from the enemy. The cost was tremendous —nearly four thousand Canadians died.

The Canadians had been waiting in the tunnels for hours, some for days, for the signal to go up and over the top to fight the Germans. Some etched their names into the wall. Others added their provinces, while still others drew an evocative image. Today, those markings stare back at you like they were written yesterday.

Then I saw one from Ontario. Name, regiment... and a canoe.

I don't know what happened to that fellow —was it the last thing he ever drew? Or did he get home to Ontario to see his canoe one more time?

Peter Mansbridge, OC is the Chief Correspondent for CBC News and anchor of "The National".

Rampant à moitié, marchant à moitié le long d'un tunnel de 100 ans sous la crête de Vimy en France, je suis arrivé face à face avec l'Ontario. Vimy est une partie très spéciale de notre histoire. Les troupes canadiennes se sont emparées de la crête après que les Français et les Britanniques eurent échoué dans leurs tentatives de l'arracher à l'ennemi. Le coût a été énorme—près de 4 000 Canadiens sont morts.

Les Canadiens attendaient dans les tunnels depuis des heures, certains depuis plusieurs jours, le signal leur indiquant de monter sur la crête pour se battre contre les Allemands. Certains ont gravé leurs noms sur le mur. D'autres ont ajouté leurs provinces, tandis que d'autres encore ont dessiné une image évocatrice. Aujourd'hui, ces marques vous sautent aux yeux comme si elles avaient été gravées hier.

Puis j'en ai vu une de l'Ontario. Le nom, le régiment... et un canot.

Je ne sais pas ce qui est arrivé à cet homme—était-ce la dernière chose qu'il ait jamais dessinée? Ou est-il rentré chez lui en Ontario pour voir son canot une dernière fois?

Peter Mansbridge, OC est le correspondant principal de CBC News et chef de pupitre de l'émission « The National ».

102 **IMAGE** | Let us go photo (Naomi and Mark). *Vimy Ridge monument, top left* | *Mémorial national à Vimy, en haut à gauche*

65 | HAL JACKMAN

In the fall of 1939 my brother and I, aged seven and five, would hear the militia bands playing a few blocks from our home. We would literally jump up, abandoning our supper, and race out to watch the regiments with their bands march down Yonge Street. These parades were obviously designed to encourage recruiting for our armed forces. Within five years, a million Canadians were wearing our country's uniform — no small achievement for a country with less than twelve million people.

One wonders whether there would be a similar response now, if conditions warranted it.

The Hon. Henry Newton Rowell "Hal" Jackman, OC, OOnt, CD served as the twenty-fifth Lieutenant Governor of Ontario (1991–1997).

À l'automne de 1939, mon frère et moi, âgés de sept et cinq ans, entendions les orchestres militaires jouer à quelques pâtés de maisons de notre domicile. Nous sautions littéralement, abandonnant notre souper, et courions regarder les régiments avec leurs orchestres descendre la rue Yonge. Ces parades étaient manifestement conçues pour promouvoir le recrutement pour nos forces armées. Au bout de cinq ans, un million de Canadiens portaient l'uniforme de notre pays — une réalisation importante pour un pays comptant moins de 12 millions d'habitants.

On peut se demander s'il y aurait une réaction similaire aujourd'hui, si la conjoncture le justifiait.

L'honorable Henry Newton Rowell « Hal » Jackman, OC, OOnt, CD a été le 25e lieutenant-gouverneur de l'Ontario, occupant ces fonctions de 1991 à 1997.

 IMAGE | Toronto Star. *Garrison parade, 1938, top right 103* | *Défilé de la garnison, 1938, en haut à droite 103*

66 | JANE ROUNTHWAITE

My grandfather came from Kingston and served in the First World War as an officer in the Princess Patricia's Canadian Light Infantry. He fought in the second battle of Ypres, Canada's first major engagement, when John McRae wrote "In Flanders Fields." Left for dead, my grandfather was rescued by German medics, rehabilitated in Germany, and sent to Switzerland at the end of 1915 to be interned at a hotel in the Alps as part of the prisoner exchange program. While waiting to be exchanged, he participated in the active social life of the resort, spurred on by the presence of young English-speaking expatriate women, including my grandmother, who had been brought by their mothers to find husbands among the officers' ranks. My grandmother was one of Canada's first war brides, arriving in 1919 with no understanding of her new country. Raised with genteel European influences such as beautiful bath soap, she was shocked to find that her Scottish Presbyterian in-laws used Lifebuoy for bathing and frowned on knitting on Sunday!

Jane Rounthwaite is President and Managing Partner of The Osborne Group. She is the partner of the Hon. Kathleen Wynne, Premier of Ontario.

Originaire de Kingston, mon grand-père a servi pendant la Première Guerre mondiale et a participé à la deuxième bataille d'Ypres, qui était le premier engagement majeur du Canada. Laissé pour mort, mon grand-père a été secouru par des infirmiers allemands et a ensuite reçu des soins de réadaptation en Allemagne puis, à la fin de 1915, il a été envoyé en Suisse aux fins de détention dans un hôtel des Alpes. Alors qu'il attendait son tour dans un échange de prisonniers, il participait à la vie sociale du centre de villégiature, encouragé par la présence de jeunes femmes expatriées de langue anglaise, dont ma grand-mère faisait partie, que leurs mères avaient amenées là afin qu'elles trouvent un époux parmi les officiers. Ma grand-mère a été l'une des premières épouses de guerre du Canada, arrivant en 1919 sans rien connaître de sa nouvelle patrie. Élevée sous les influences raffinées de l'Europe, utilisant par exemple de belles savonnettes, elle a constaté avec stupéfaction que ses beaux parents écossais presbytériens faisaient leur toilette à l'aide de savon Lifebuoy et qu'il était mal vu de faire du tricot le dimanche!

Jane Rounthwaite est présidente et associée directrice de The Osborne Group. Elle est la partenaire de l'honorable Kathleen Wynne, première ministre de l'Ontario.

IMAGE | LAC/BAC, *LCol McCrae, bottom 103* | *lcol McCrae, en bas 103*

67 | DEB DELLER

The best thing about the Clerk's office is its window affording a spectacular view of the Legislature's front lawn. One morning, I looked out on that lawn and noticed that an Indigenous group had erected two large tents, settling in for what became a four-day encampment.

Each day, a group of Falun Dafa exercise on that lawn. That morning, the tents were in their spot. The groups conferred with each other briefly and then one quietly moved further along and commenced their morning routine.

On the other side of the walkway were a group of Mennonite students in traditional dress waiting to come inside for a tour.

It struck me that morning that there is probably no other front lawn in the world where one can witness this kind of eclectic, peaceful gathering.

It was a scene reflective of this place and how important it is to protect it.

Deborah Deller was the eighth Clerk of the Legislative Assembly of Ontario (2007–2016) and the first woman to hold this position.

La meilleure chose qui se trouve au bureau du greffier est la fenêtre donnant sur une vue spectaculaire de la pelouse avant de la Législature. Un matin, j'ai jeté un coup d'œil sur cette pelouse et remarqué qu'un groupe d'Autochtones avait érigé deux grandes tentes, s'installant pour ce qui est devenu un campement de quatre jours.

Chaque jour, un groupe de Falun Dafa pratique ses exercices sur cette pelouse. Ce matin-là, les tentes occupaient sa place. Les groupes ont discuté l'un avec l'autre brièvement puis l'un d'eux s'est éloigné calmement et ils ont commencé leur routine du matin.

De l'autre côté du trottoir se trouvait un groupe d'étudiants mennonites, en tenue traditionnelle, attendant d'entrer pour une visite guidée.

Ce matin-là, j'ai été frappée par la réalisation qu'il n'y a probablement aucune autre pelouse avant au monde où on peut être témoin de ce genre de rassemblement paisible, éclectique.

C'était une scène qui reflétait cette place, et l'importance de la protéger.

Deborah Deller a été la 8e greffière de l'Assemblée législative de 2007 à 2016, et est la première femme à avoir occupé ce poste.

IMAGE | Toronto Star. *Front Lawn, Queen's Park* | *Pelouse principale, Queen's Park*

68 | ENZA ANDERSON

A Supercity deserves a Supermodel...
Enza for Mayor.

After reading an article about a candidate with a criminal record running for political office, I thought, "Why not a trans-woman running for mayor?" My only crime was bringing glamour to the office. It was mid-March 2000. One glorious morning, I headed off to Toronto City Hall, campaign sign in tow, where I threw my heels into the ring.

With thanks to a couple of beefcake boys for campaign support, I hit the hustings. My platform, aside from the stilettos, was to bring thoughtful government and put people first. I placed a respectable third out of twenty-six candidates, with 13,585 votes — enough to receive my campaign deposit back!

In the campaign for raised consciousness of our province's rich diversity, I'm still told by many that I won by a landslide that day. Thank you, Ontario. It was an honour.

Enza Anderson is a trans-woman, writer, activist, and media personality.

Une super ville mérite un super modèle...
Enza à la mairie.

Après avoir lu un article sur un candidat avec un dossier criminel qui briguait un mandat politique, je me suis dit : « Pourquoi pas une femme transgenre dans la course à la mairie ? ». Mon seul crime était d'apporter une touche glamour à l'administration municipale. C'était à la mi-mars 2000. Un matin glorieux, je me suis rendue à l'hôtel de ville de Toronto, mes pancartes électorales sous le bras, et j'ai sauté escarpins joints dans l'arène politique.

Avec le soutien de quelques bellâtres pour ma candidature, je me suis lancée dans la campagne électorale. Ma plateforme, mis à part mes stilettos, consistait à instaurer une administration municipale réfléchie qui met l'humain au cœur de ses décisions. Je suis arrivée bonne troisième parmi 26 candidats, avec un total de 13 585 voix : assez pour récupérer mon cautionnement de candidature !

Malgré tout, on me dit encore souvent que ce jour-là, j'ai plutôt remporté une victoire écrasante dans la course à la sensibilisation envers la riche diversité de notre province. Merci, Ontario. Ce fut un honneur.

Enza Anderson, femme transgenre, est une auteure, militante et personnalité des médias.

IMAGE | Enza Anderson. *Campaign launch, 2000, left* | *Lancement de campagne, 2000, à gauche*

A
SUPERCITY
DESERVES
A
SUPERMODEL
X ENZA FOR MAYOR

69 | RENU MANDHANE

As a criminal lawyer, I helped marginalized and vulnerable people whose fates seemed predetermined. Their identities were often reduced to their worst actions: drug dealers or murderers. In 2006, my firm represented a man serving a life sentence who sought early parole eligibility. He had to convince a unanimous jury that he had been rehabilitated. When he took the stand, he didn't talk a lot about the incident or his fifteen years in jail. Instead, he focused on the strength of his marriage, the birth of his kids, finding God, becoming a mechanic, and the fulfilment he got as a motivational speaker for at-risk youth. Twelve ordinary citizens decided to give this "murderer" a second chance to be a husband and father. The jury's decision was both extraordinary and reasonable, and somehow captured for me the compassionate and hopeful spirit of our country. I'm proud to be a Canadian in a country of second chances.

Renu Mandhane is the Chief Commissioner of the Ontario Human Rights Commission.

À titre de criminaliste, j'ai aidé des personnes marginalisées et vulnérables dont le destin semblait inéluctable. Aux yeux des autres, ils se résumaient à leurs pires actions : trafiquants de drogue ou meurtriers. En 2006, ma firme a défendu un homme condamné à la prison à perpétuité qui avait présenté une demande de libération conditionnelle anticipée. Il devait convaincre de sa réhabilitation un jury ayant rendu un verdict unanime. En audience, il a très peu parlé de l'incident qui l'a mené en prison ou de ses 15 ans derrière les barreaux. Il s'est plutôt concentré sur son mariage, sur la naissance de ses enfants, sur sa découverte de Dieu, sur son apprentissage de la mécanique, et sur le sentiment de plénitude que lui procure son rôle de conférencier auprès des jeunes à risque. Douze citoyens ordinaires ont décidé de donner à ce « meurtrier » une seconde chance et de lui permettre d'être un époux et un père. La décision du jury était à la fois extraordinaire et raisonnable. De mon point de vue, elle traduisait le cœur même de notre pays, porteur de compassion et d'espoir. Je suis fier d'être Canadien et d'habiter au pays des secondes chances.

Renu Mandhane est la commissaire en chef de la Commission ontarienne des droits de la personne.

IMAGE | Vik Pahwa. *Pillars of Justice sculpture, top right 109* | *Statue des pilliers de la justice, en haut à droite 109*

70 | MURRAY MCLAUCHLAN

There were no people of colour in my Toronto neighbourhood when I grew up. I do remember that most of my friends were Jewish. But I didn't know that there was an informal resistance to Jews buying property in certain parts of southern Ontario. And of course, my friends and I had heard bad things about Italians. They were "The Other." But nobody knew an Italian.

When I was fourteen in the early 1960s, I went to art school at Central Tech in downtown Toronto, and my classmates were now Japanese, Chinese, Russian, Italian, Finnish, and Ukrainian. I first met Black people when my interest in music blossomed and I started hanging around downtown clubs. My sense of "The Other" quickly disappeared.

I still think of what I learned from those early years. I realize that experiencing people for who they really are is the first important step to accepting the happy reality that we are all just human.

Murray McLauchlan, CM is a singer and songwriter who was inducted into the Canadian Music Hall of Fame in 2016.

Quand j'étais enfant, il n'y avait pas de personne de couleur dans mon quartier de Toronto. Je me souviens que la plupart de mes amis étaient juifs. Mais je ne savais pas qu'il y avait une résistance informelle à l'achat de propriétés par des juifs dans certaines régions du sud de l'Ontario. Et, bien sûr, mes amis et moi-même avions entendu des choses négatives au sujet des Italiens. Ils étaient « L'autre ». Mais personne ne connaissait d'Italien.

À 14 ans, au début des années 1960, j'ai fréquenté l'école d'art de Central Tech, dans le centre-ville de Toronto, et mes camarades de classe étaient maintenant japonais, chinois, russes, italiens, finlandais, et ukrainiens. J'ai rencontré des Noirs pour la première fois lorsque mon intérêt pour la musique s'est épanoui et que j'ai commencé à fréquenter des clubs du centre-ville. Mon sens de « L'autre » a disparu rapidement.

Je pense encore à ce que j'ai appris de ces premières années. Je réalise que faire l'expérience des gens pour qui ils sont réellement est la première étape importante de l'acceptation de l'heureuse réalité que nous sommes tous simplement humains.

Murray McLauchlan, CM est un auteur-interprète qui a été admis au Panthéon de la musique canadienne en 2016.

IMAGE | Hilkka, 1966 / Alice Saltiel-Marshall. *Murray and friends, bottom right 109* | *Murray et ses amis, en bas à droite 109*

71 | ANN CAVOUKIAN

My family immigrated to Ontario when I was four years old. While we had very little, the opportunities that presented themselves to my father, in establishing his photographic studio, seemed endless! The people we met were kind and caring in offering their assistance. The Hon. Keiler MacKay, then Lieutenant Governor of Ontario, was the embodiment of all that was good in Ontario! He took us under his wing, treating us like family. We spent many a Christmas Eve at his home, to our delight. Despite the hardships that my parents had to endure, we were very grateful to be in a country where freedom was valued and surveillance was a thing of the past. In my three terms as Privacy Commissioner of Ontario, I never lost that message. Privacy forms the foundation of our freedoms — surveillance serves to undermine them. Let us fight to preserve our privacy and our freedom now and well into the future.

Ann Cavoukian served as Ontario's Information and Privacy Commissioner (1997–2014).

Ma famille a immigré en Ontario alors que j'avais quatre ans. Quand j'étais toute petite, les possibilités qui s'offraient à mon père lorsqu'il a établi son studio photographique semblaient infinies! Les personnes que nous rencontrions étaient bienveillantes et empathiques en offrant leur aide. L'honorable Keiler MacKay, alors lieutenant-gouverneur de l'Ontario, était l'incarnation de tout ce qui était bon en Ontario! Il nous a pris sous son aile, nous traitant comme sa famille. Nous avons passé de nombreuses veilles de Noël chez lui, à notre grand bonheur. Malgré les difficultés que mes parents ont éprouvées, nous étions très reconnaissants d'être dans un pays où la liberté était appréciée et la surveillance était une chose du passé. Au cours de mes trois mandats à titre de commissaire à la protection de la vie privée de l'Ontario, je n'ai jamais perdu ce message. La protection des renseignements personnels constitue le fondement de nos libertés — la surveillance sert à les miner. Battons-nous pour protéger notre vie privée et notre liberté aujourd'hui et à l'avenir.

Ann Cavoukian a occupé les fonctions de commissaire à l'information et à la protection de la vie privée de l'Ontario de 1997 à 2014.

IMAGE | LAC/BAC. *Proclamation of Constitution Act, 1982, top* | *La proclamation de la Loi constitutionnelle de 1982, en haut*

72 | FRANK IACOBUCCI

Although born, raised, and educated in British Columbia, I have had the good fortune of living in Ontario since 1967. My educational background gave me the qualifications to pursue a career in the law, public service, and higher education. But it has been Ontario that gave me the opportunity, privilege and honour to serve in different positions and capacities. Standing out in my experience was the warm welcome and encouragement that the province extended to me during a period of transformative diversity and inclusiveness in our province which has been a model for the world. That my American-born wife has had an affection for Ontario that has increased over the last fifty years has added greatly to my enjoyment of our life together with our children and grandchildren. All of this — and much more — simply means I have an unrepayable debt to Ontario, and I wish to express my profound gratitude to the people of this remarkable province.

The Hon. Frank Iacobucci, CC, QC served as a Puisne Justice on the Supreme Court of Canada (1991–2004).

Bien que je sois né, que j'aie été élevé et éduqué en Colombie Britannique, j'ai eu la chance de vivre en Ontario depuis 1967. Mes antécédents scolaires m'ont donné les qualifications nécessaires pour poursuivre une carrière en droit, en administration publique, et en études supérieures. Mais c'est l'Ontario qui m'a donné la possibilité, le privilège et l'honneur d'occuper différents postes et fonctions. Le point saillant de mon expérience était l'accueil chaleureux et l'encouragement que la province m'a manifestés au cours d'une période de diversité et d'inclusion transformatives dans notre province, qui a été un modèle pour le monde. Le fait que mon épouse, née aux États Unis, s'est prise d'une affection pour l'Ontario qui s'est accrue au cours des 50 dernières années a ajouté grandement à ma jouissance de notre vie ensemble avec nos enfants et petits enfants. Tout ceci — et beaucoup plus — signifie simplement que j'ai une dette impayable envers l'Ontario, et j'aimerais exprimer ma profonde gratitude aux citoyens de cette remarquable province.

L'honorable Frank Iacobucci, CC, cr a été juge puîné à la Cour suprême du Canada de 1991 à 2004.

 IMAGE | Andrew Balfour. *Supreme Court of Canada, bottom left 112* | *La Cour suprême du Canada, en bas à gauche 112*

73 | ANDROMACHE KARAKATSANIS

Growing up in Toronto, my name always marked me as different. Andromache Karakatsanis. It was my grandmother's name, and Andromache was a strong woman in Greek antiquity. My parents — Greek immigrants who came to Ontario with nothing but a dream for a better future — refused to let my teachers anglicize my name (Andrea? Ann?). It was a big name for a little girl. But I became proud of the strength of its heritage. My parents always told me that different could be better. I was lucky to benefit from the best of different cultures. As a practising lawyer, I sometimes grew weary of spelling my name in court every day. I still get frequent comments — well, that's different! But in Canada differences are strengths. It is a land of astonishing generosity and diversity. And the daughter of Greek immigrants can become a justice of the Supreme Court of Canada. This illustrates the opportunity of Canada.

The Hon. Andromache Karakatsanis is a Puisne Justice of the Supreme Court of Canada. She was formerly Secretary of the Cabinet in Ontario (2000–2002).

J'ai grandi à Toronto et mon nom m'a toujours caractérisée comme étant différente. Andromache Karakatsanis. C'était le nom de ma grand-mère et Andromache était une femme forte dans l'antiquité grecque. Mes parents — des immigrants grecs qui sont venus en Ontario sans autre chose que le rêve d'un avenir meilleur — ont refusé de laisser mes professeurs angliciser mon nom (Andrea? Ann?). C'était un grand nom pour une petite fille, mais je me suis retrouvée fière de la puissance de son héritage. Mes parents m'ont toujours dit que la différence pourrait être favorable. J'ai eu la chance de bénéficier du meilleur des diverses cultures. En tant qu'avocate en exercice, je suis parfois lassée d'écrire mon nom au tribunal tous les jours. J'entends encore fréquemment des commentaires tels que « eh bien, votre nom est très différent ! » Mais au Canada, la différence est un atout. C'est une terre de générosité et de diversité étonnantes où la fille d'un immigrant grec peut devenir juge de la Cour suprême du Canada. Les possibilités sont immenses au Canada.

L'honorable Andromache Karakatsanis est juge puînée à la Cour suprême du Canada. Elle avait auparavant occupé le poste de secrétaire du Cabinet au gouvernement de l'Ontario, de 2000 à 2002.

IMAGE | Andrew Balfour. *Andromache Karakatsanis, bottom right 112* | *en bas à droite 112*

74 | JENNIFER KEESMAAT

In 1945 my great uncle was executed by the Germans in the dunes just steps away from the "Orange Prison" where he and other resistance fighters, including my grandfather, were being held in Den Haag. Only months later, it was Canadians who took on the deadly task of liberating the Netherlands from Nazi occupation. For my grandfather, this act of generosity would define his future. Just five years later, he packed up his young bride and two small children and immigrated to Canada, leaving centuries of family history to begin life in a new land. To me, so much of Canada is about its landscape: the visual delight as summer gives way to fall, the sandy shorelines of Lake Erie, and the rocky cliffs of Georgian Bay. But my family reminds me again and again that we are bigger than that: we are a people of liberators who stand up to tyranny, who will, in the end, when the rest of the world is off celebrating, fight for justice.

Jennifer Keesmaat, Chief Planner for the City of Toronto, believes in creating places where people can flourish.

En 1945, mon grand-oncle a été exécuté par les Allemands dans les dunes à quelques pas de la « Prison Orange » où il était détenu avec d'autres combattants de la résistance, notamment mon grand-père, à Den Haag. Quelques mois plus tard, ce sont les Canadiens qui ont eu la tâche mortelle de libérer les Pays-Bas de l'occupation nazie. Pour mon grand-père, cet acte de générosité allait définir son avenir. Seulement cinq ans plus tard, il a pris sa jeune épouse et ses deux jeunes enfants et ils sont immigrés au Canada, laissant derrière des siècles d'histoire familiale pour recommencer leur vie au sein d'une nouvelle terre. Pour moi, le Canada est un pays qui regorge de beaux paysages : un délice visuel lorsque l'été cède sa place à l'automne, la beauté des rives sablonneuses du lac Érié et des falaises rocheuses de la baie Georgienne. Mais ma famille me rappelle souvent que nous sommes plus grands que cela : nous sommes un peuple de libérateurs qui résistent à la tyrannie et qui finira par se battre pour la justice devant le reste du monde.

Jennifer Keesmaat, planificatrice urbaine en chef à la Ville de Toronto, soutient la création d'espaces où les gens peuvent s'épanouir.

IMAGE | *Terry Wurdemann. Near Sault Ste Marie, top* | *Près de Sault Ste. Marie, en haut*

75 | JOANNE GERVAIS

I remember the day my brother gave it to me. He told me to keep it because "it may be important one day". It was 1975. I was eleven. And I had in my hand a six-by-ten-inch version of what would be the new Franco-Ontarian flag.

The flag was launched by a committee. My older brother, Gaétan Gervais, designed the flag, together with Michel Dupuis. Gaétan was a private person, and the two agreed to keep their involvement secret for decades. If the flag became established, their involvement would be unimportant. If the flag became forgotten, their involvement would be irrelevant.

Gaétan and Michel finally agreed to talk publicly about their contribution. Now, more than forty years later, Ontarians are more aware, not just of their contribution, but of the Franco-Ontarian culture they served.

Joanne Gervais is the sister of Gaétan Gervais, CM.

Je me souviens du jour où mon frère me l'a donné. Il m'a dit de le garder parce que « il pourrait être important un jour ». C'était en 1975. J'avais 11 ans. Et j'avais dans ma main une version de 6 pouces sur 10 pouces de ce qui deviendrait le nouveau drapeau franco-ontarien.

Le drapeau a été lancé par un comité. Mon frère aîné, Gaétan Gervais, a conçu le drapeau, de concert avec Michel Dupuis. Gaétan était une personne discrète, et lui et Michel ont convenu de garder leur participation secrète pendant des décennies. Si le drapeau était adopté, leur participation serait sans importance. Si le drapeau était oublié, leur participation serait sans pertinence.

En définitive, Gaétan et Michel ont convenu de parler publiquement de leur contribution. Aujourd'hui, plus de 40 ans plus tard, les Ontariens sont plus conscients, non seulement de leur contribution, mais de la culture franco-ontarienne qu'ils ont servie.

Joanne Gervais est la sœur de Gaétan Gervais, CM.

IMAGE | Joanne Gervais. *Joanne's flag, bottom left 117* | *Le drapeau de Joanne, en bas à gauche 117*

76 | RH THOMSON

In Grade 5, a tall silent boy was brought into our class. His name was Tomas, he spoke no English and his family had escaped the tanks coming into his city. It was 1956 and Tomas's arrival from Hungary made me start to think about the lives of others. Bing Lou ran the small Chinese restaurant in our small town, and I started to think about China. Dagmar's family came from what was then Czechoslovakia. Young Americans arrived dodging the war in Vietnam. Then Vietnamese boat people arrived. As new Canadians come from every place in the world, the idea of Canada keeps expanding. I assumed my past was white because my people came from Scotland, until I found out that my great-great-great-great-grandmother was Mohawk. My being Canadian grew even richer. New faces continue to arrive, Canada continues to grow, and it is exhilarating.

Robert "RH" Thomson, CM is a television, stage, and film actor.

En 5e année, un grand garçon silencieux a été amené dans notre classe. Il s'appelait Tomas, ne parlait pas l'anglais, et sa famille et lui avaient échappé aux chars d'assaut qui entraient dans leur ville. Nous étions en 1956, et l'arrivée de Tomas en provenance de la Hongrie m'a amené à réfléchir à la vie d'autrui. Bing Lou exploitait le petit restaurant chinois de notre petite ville, et j'ai commencé à réfléchir à la Chine. La famille de Dagmar venait de ce qui s'appelait alors la Tchécoslovaquie. De jeunes Américains réfractaires à la guerre du Vietnam arrivaient au pays. Puis des réfugiés de la mer vietnamiens sont arrivés. À mesure que de nouveaux Canadiens arrivent de partout dans le monde, l'idée du Canada ne cesse de s'élargir. Je présumais être d'origine blanche puisque mes ancêtres venaient de l'Écosse, jusqu'à ce que j'apprenne que mon arrière-arrière-arrière-arrière-grand-mère était Mohawk. Mon identité canadienne s'est enrichie davantage. De nouveaux visages continuent d'apparaître, le Canada continue de croître, et cela est exaltant.

Robert « RH » Thomson, CM poursuit une carrière d'acteur à la télévision, au cinéma et sur la scène.

IMAGE | Toronto Star. *Vietnamese boat people, bottom right 117* | *Réfugiés de la mer vietnamiens, en bas à droite 117*

77 | BARBARA HALL

Walking to the Riverdale pool for a swim on a sweltering summer day, I met a childhood friend, Beth, and asked her to join me. She said she couldn't swim, which surprised me because my recollection was that as children we often went swimming together. She replied that I must have forgotten that as a Jew she was barred from the pool and never learned to swim.

When I was a city councillor in Toronto, my seatmate and I each had partners, mine was covered by our workplace benefit plans, his was not; mine was called husband, his same-sex partner.

I love Ontario and Canada passionately, the land and the people, but these stories and many others show privilege and inequity side by side in our society. I am proud of the progress that equity-seeking individuals and groups have fought for and obtained, but so much remains for us to do.

Barbara Hall, CM served as Toronto's Mayor (1994–1997) and Chief Commissioner of the Ontario Human Rights Commission (2005–2015).

En me rendant à la piscine Riverdale par une journée d'été de chaleur accablante, j'ai rencontré une amie d'enfance, Beth, et lui ai demandé de venir se baigner avec moi. Elle m'a dit qu'elle ne savait pas nager, ce qui m'a étonnée parce que, selon mes souvenirs d'enfance, nous allions souvent nous baigner ensemble. Elle m'a répondu que j'avais dû oublier qu'en tant que juive, elle était interdite d'accès à la piscine et n'avait jamais appris à nager.

Alors que j'étais conseillère municipale à Toronto, mon collègue et moi-même avions des partenaires; le mien était couvert par nos régimes d'avantages sociaux du milieu de travail; le sien ne l'était pas; le mien était appelé époux, le sien, partenaire de même sexe.

J'adore l'Ontario et le Canada passionnément, ainsi que le pays et les gens, mais ces histoires et de nombreuses autres font ressortir le privilège et l'iniquité qui existent côte à côte dans notre société. Je suis fière des progrès pour lesquels les personnes et les groupes en quête d'équité ont lutté et qu'ils ont obtenus, mais je constate qu'il nous reste encore beaucoup à faire.

Barbara Hall, CM a été la mairesse de Toronto, de 1994 à 1997, et commissaire en chef de la Commission ontarienne des droits de la personne de 2005 à 2015.

IMAGE | Archives of Ontario, *top left* | Archives publiques de l'Ontario, *en haut à gauche*

30

78 | ZARENE* AND DAVI*

My son Davi and I left Yemen to join my husband in Canada in 2015. I wondered what life would be like in this new country... My husband had always been violent toward me; I didn't expect this to be any different in Canada, and it wasn't. However, what was different was that the violence wasn't accepted here, like it was at home. A neighbour called the police, and Davi and I went to live at Yorktown Shelter for Women. I had never heard of a shelter for women, where I came from. At the Shelter, the Male Child-Advocate Worker, who is a social worker and counsellor, helped Davi to understand that a boy doesn't need to be violent or overpower others to be a man. Davi and I moved out of the Shelter eight months later and began our new lives. I learned that Canada really cares about women.

Yorktown Family Services is a community agency serving children, youth, and families. Zarene and Davi are pseudonyms.

Mon fils, Davi, et moi avons quitté le Yémen pour rejoindre mon mari au Canada en 2015. Je me demandais ce que serait notre vie dans ce nouveau pays... Mon mari avait toujours été violent avec moi; je ne m'attendais pas à ce que ce soit différent au Canada, et ce ne l'était pas. Toutefois, ce qui est différent, c'est que la violence n'est pas acceptée ici comme dans mon pays. Un voisin a appelé la police, et Davi et moi sommes allés vivre à la maison d'hébergement pour femmes battues de Yorktown. Je n'avais jamais entendu parler d'une telle maison dans mon pays. La travailleuse sociale et conseillère auprès des jeunes garçons a expliqué à Davi qu'un garçon n'a pas à être violent ou à dominer les autres pour être un homme. Davi et moi avons quitté la maison d'hébergement huit mois plus tard et nous avons commencé notre nouvelle vie. J'ai appris que le Canada se préoccupe vraiment des femmes.

Yorktown Family Services est une agence communautaire au service des enfants, des jeunes et des familles. Zarene et Davi sont des pseudonymes.

IMAGE | Sam Javanrouh. *Snowy day, top right 121* | *en haut à droite 121*

79 | TERRY WEYMOUTH

As a successful woman in trades, for me what makes Ontario great is the opportunities that our auto industry has provided for women.

I'm a third-generation auto worker, a licensed electrician, and a national skilled trades training co-ordinator for my union — Unifor.

Thirty years ago, as a young mother and apprentice electrician in Windsor, I was uncertain of my future. As I sat in my garage, trying to memorize the names of the tools of my trade, I could not have imagined being where I am today. My work with the union has contributed to changing attitudes about who can become a skilled tradesperson, and I have witnessed first-hand the progress that women are making in the industry and the workplace.

Ontario's auto industry has not only created opportunities for women, it has also helped build a strong economy and contributed to the bright future of all Ontarians.

Terry Weymouth worked in the automotive industry until 2005, when she became a National Skilled Trades Training Co-ordinator for Unifor.

Étant une femme de métier prospère, ce que je trouve emballant en Ontario, ce sont les occasions que notre industrie de l'automobile offre aux femmes.

Je suis de la troisième génération de travailleurs de l'automobile; je suis électricienne autorisée et coordonnatrice de la formation nationale des gens de métiers pour mon syndicat, Unifor.

Il y a 30 ans, j'étais une jeune mère et apprentie électricienne de Windsor, incertaine de son avenir. Assise dans mon garage à mémoriser les noms des outils de mon métier, je n'aurais jamais imaginé être là où je suis aujourd'hui. Mon travail au sein du syndicat a contribué à changer les mentalités, à savoir par exemple qui peut exercer un métier spécialisé, et j'ai pu constater personnellement les progrès que les femmes ont accomplis dans l'industrie et le monde du travail.

L'industrie automobile de l'Ontario n'a pas seulement offert des occasions aux femmes, elle a aussi contribué à l'essor de l'économie et à créer un bel avenir pour tous les Ontariens.

Terry Weymouth a travaillé dans l'industrie automobile jusqu'en 2005; elle assume depuis les fonctions de coordonnatrice nationale de la formation dans les métiers spécialisés chez Unifor.

IMAGE | Deborah Baic, The Globe and Mail. *Oshawa, bottom left 121 | en bas à gauche 121*

80 | LOREN WELLS

In April 1917, a historic amendment was made to Ontario's electoral legislation, extending the right to vote to the vast majority of women in Ontario.

Some months after that, the law was changed again to allow women to become candidates for election to the Legislative Assembly. It was not until 1943, however, that two women, Agnes Macphail and Rae Luckock, were elected as members of the province's Legislature.

Through the last one hundred years, women have held significant positions within Ontario's electoral democracy, serving not only as members of the Legislature, but as leaders of political parties, Cabinet ministers, Premier, and Lieutenant Governor.

Being involved in the administration of provincial elections for almost four decades, I saw firsthand the impact that these changes had on Ontario's electoral process. The people of Ontario can be proud of their electoral heritage.

Loren Wells served as the Deputy Chief Electoral Officer of Ontario (2001–2014).

En avril 1917, un amendement historique a été apporté à la législation électorale de l'Ontario afin d'accorder le droit de vote à la grande majorité de femmes en Ontario.

Quelques mois plus tard, la loi fit l'objet d'autres modifications en vue de permettre aux femmes de se porter candidates à la députation. Il a fallu attendre en 1943, toutefois, avant que deux femmes, Agnes Macphail et Rae Luckock, soient élues à l'Assemblée législative de l'Ontario.

Au cours des cent dernières années, les femmes ont occupé des postes importants au sein de la démocratie électorale de l'Ontario, siégeant non seulement comme membre de l'Assemblée législative, mais aussi comme chef de partis politiques, ministre, première ministre et lieutenante-gouverneure.

Travaillant à l'administration des élections provinciales depuis presque 40 ans, je suis à même de constater les répercussions de ces changements sur le processus électoral de l'Ontario. Les citoyens de l'Ontario peuvent être fiers de leur patrimoine électoral.

Loren Wells a occupé les fonctions de directrice générale adjointe des élections de l'Ontario de 2001 à 2014.

IMAGE | South Grey Museum. *A. Macphail (front), 1935, bottom right 121* | *en bas à droite 121*

150

Yours to discover
Tant à découvrir

81 | ADRIENNE CLARKSON

For me, Ontario is Georgian Bay. This is the place that has the oldest exposed rocks in the world — 1.8 billion years old. They are the roots of what was once a mountain range as high as the Himalayas, stretching down the length of North America. When you lie on them, to look at the Perseid showers of stars in the middle of August, or are startled by the play of the Northern Lights, you realize that you are in a timeless and ageless world. Once, we saw the entire bowl of Heaven dancing with the lights from the centre, which appeared like a large hovering bird, the atmosphere alive and electric with vibrations and streams of light like no other. This is the gift to those of us who are fortunate enough to live in this magical place.

The Rt. Hon. Adrienne Clarkson, PC, CC, CMM, COM, CD served as the twenty-sixth Governor General of Canada (1999–2005).

Pour moi, l'Ontario c'est la baie Georgienne. C'est l'endroit où l'on retrouve les rochers exposés considérés comme étant les plus vieux au monde, soit 1,8 milliard d'années. Ils sont les fondements de ce qui était anciennement une chaîne de montagnes aussi hautes que l'Himalaya et qui s'étendait vers le sud tout le long de l'Amérique du Nord. Lorsqu'on s'allonge sur ces rochers pour regarder les pluies d'étoiles filantes des Perséides au milieu du mois d'août ou qu'on se retrouve stupéfait par les jeux de lumière des aurores boréales, on constate à quel point notre monde est intemporel. Une fois, nous avons vu les cieux en entier danser avec des lumières qui jaillissaient du centre, ressemblant à un gigantesque oiseau en vol stationnaire, avec l'atmosphère vivante et électrisée de vibrations et de faisceaux lumineux incomparables. C'est l'offrande du ciel faite à ceux qui ont la chance d'habiter cet endroit tout à fait magique.

La très honorable Adrienne Clarkson, cp, CC, CMM, COM, CD a été la 26e gouverneure générale du Canada de 1999 à 2005.

IMAGE | Tom Arban. *Georgian Bay, top* | *La baie Georgienne, en haut*

Boots

82 | PAUL HEBERT

My grandfather was born just north of Kingston on a farm or so his dad called it. It was really a rock patch bordering Devil Lake, the kind of place that crushes agricultural ambition. By 1885, the land had won; no horse-drawn plow would ever furrow it again. My family's retreat meant that I grew up on the limestone flats bordering Lake Ontario. It was there that I fell in love with nature. Almost seamlessly, my childhood fascination with the seasonal cascade of animals and plants transitioned into a career. I now lead an international project born in Ontario, one using snippets of DNA to register every species on our planet, empowering humanity to protect the magnificent diversity of organisms that share our world. But whenever possible, I return to those cedar-swamped, water-washed granite outcrops just north of Kingston. We call it cottage country. It no longer crushes; it inspires.

Paul Hebert, OC is the Director of the Biodiversity Institute of Ontario and the Canadian Barcode of Life Network.

Mon grand-père est né juste au nord de Kingston, sur une ferme, du moins comme l'appelait son père. C'était plutôt un terrain rocheux en bordure du lac Devil, le genre de place qui anéantit l'ambition agricole. En 1885, le terrain avait gagné; aucune charrue tirée par des chevaux ne l'a plus jamais labouré. La retraite de ma famille a fait en sorte que je grandisse sur les battures de calcaire entourant le lac Ontario. C'est là où je suis tombé amoureux de la nature. Presque sans anicroche, la fascination de mon enfance pour la cascade saisonnière d'animaux et de plantes s'est transformée en une carrière. Je dirige maintenant un projet international qui a pris naissance en Ontario, un projet qui utilise des bribes d'ADN pour enregistrer chaque espèce qui existe sur notre planète, habilitant l'humanité à protéger la magnifique diversité d'organismes qui partagent notre monde. Mais, chaque fois que c'est possible, je retourne à ces affleurements de granite inondés d'eau, envahis de cèdres, juste au nord de Kingston. Nous appelons cet endroit la « région des chalets ». Elle n'écrase plus; elle inspire.

Paul Hébert, OC occupe les fonctions de directeur de l'Institut de la biodiversité de l'Ontario et du Réseau canadien des codes à barres ADN.

IMAGE | Justin Fabian. *Frontenac Provincial Park, bottom left 127* | *Parc provincial Frontenac, en bas à gauche 127*

83 | ADAM VAN KOEVERDEN

My first trip to Algonquin Park was with my Grade 8 class in the spring of 1996. We kayaked at Camp Tanamakoon, and I recall thinking how lucky I was to be from Ontario, with so many beautiful lakes and rivers to explore by boat. I returned in the spring of 2008 while preparing for the Beijing Olympic Trials. I saw a "for sale" sign on an old dock and committed the phone number to memory. The Algonquin cottage lease was owned by a man who had recently passed away. His widow insisted that it be purchased by "the right person". Thankfully, I fit the description and bought a tiny cabin with no electricity or running water. It's my favourite place and most cherished possession, which has allowed me to share the beauty of our province with friends from around the world as well as my fellow Canadians. A great park thrives with ambassadors and great stewardship, and it's with tremendous pride that I hope to maintain that obligation for years to come.

Adam van Koeverden, a lifelong Ontarian who calls Algonquin Park "home", is a world and Olympic champion in kayaking.

La première fois que je suis allé au parc Algonquin, c'est lors d'une visite avec ma classe de 8e année, au printemps de 1996. Nous avons fait du kayak au camp Tanamakoon, et je me souviens d'avoir pensé que j'étais très chanceux de vivre en Ontario, où il y a de nombreux cours d'eau merveilleux que l'on peut explorer par bateau. J'y suis retourné à l'automne de 2008 alors que je me préparais pour les essais en vue des Olympiques à Beijing. J'ai vu une pancarte « à vendre » sur un vieux quai et j'ai mémorisé le numéro de téléphone. Le chalet algonquin appartenait à un homme qui venait de mourir. Sa veuve insistait pour que ce soit « la bonne personne » qui l'achète. Heureusement, je répondais à cette description, et j'ai acheté un minuscule chalet sans eau courante ni électricité. C'est mon lieu préféré et mon bien le plus précieux. Il m'a permis de faire connaître la beauté de la province à mes amis de l'étranger, mais aussi du Canada. Pour s'épanouir, ce magnifique parc doit pouvoir compter sur des ambassadeurs et des dirigeants consciencieux. C'est avec une immense fierté que j'espère continuer à contribuer à son épanouissement pendant très longtemps.

Adam van Koeverden, Ontarien de souche établi à Algonquin Park, est un champion du monde et olympique en kayak.

IMAGE | Daniel Ehrenworth. *Adam van Koeverden, bottom right 127* | *en bas à droite 127*

84 | ROBERTA BONDAR

The connection to the natural world began on the northeastern shore of Lake Superior, near Sault Ste. Marie, my hometown. Smells of moist, sun-drenched colonies of lichen on four-billion-year-old pink granite coalesce with sounds of crashing waves, squeaking sand, and a blue jay's cry against a seagull chorus. It is the stuff of dreams that anchors reality. My life was shaped by Lake Superior nights of shimmering points of light that stared at me from the black beyond. On those wonderful nights of my youth, the calm waters of Batchawana Bay reflected millions of stars while I, a mighty space explorer, parted the Milky Way with the silent precision of my canoe. Places were reversed when, flying overhead in space, I became a twinkling light in the night sky. I looked down upon that big lake and the shoreline that had defined me, and touched them back with awe and gratitude.

Roberta Bondar, OC, OOnt is Canada's first female astronaut. She is also an educator, author, and photographer.

C'est sur la rive nord-est du lac Supérieur, près de Sault Ste. Marie, ma ville natale, que j'ai commencé à me connecter avec la nature. L'odeur de l'air humide, les colonies de lichens inondées par le soleil, s'étendant sur une coalescence de pierres de granite rose vieilles de quatre milliards d'années, le son du sable qui glisse sous la force des vagues déferlantes, et le chant du geai bleu qui se heurte au cri des goélands. C'est de cette matière que sont tissés les rêves qui nous habitent. Ces nuits passées sur la rive du lac Supérieur à contempler le lointain horizon qui m'éclairait de sa douce lumière ont façonné ma vie. Dans le silence de ces nuits merveilleuses de ma jeunesse, les eaux calmes de la baie de Batchawana se reflétaient dans les millions d'étoiles pendant que moi, grande exploratrice de l'espace, j'avançais sur la Voie lactée à bord de mon canot avec une précision silencieuse. Les rôles ont été inversés quand, survolant la Terre à des milliers de kilomètres dans l'espace, je devins un point lumineux aux confins de la nuit. Je regardai tout en bas ce grand lac et ses rives qui avaient meublé mes jours et mes nuits, et les contemplai une fois de plus avec respect et gratitude.

Roberta Bondar, OC, OOnt est la première femme astronaute canadienne. Ses activités englobent l'enseignement, l'écriture et la photographie.

IMAGE | Terry Wurdemann. *Batchawana Bay, top left* | *La baie Batchawana, en haut à gauche*

85 | KAREN KUN

Ontario to me is about the Great Lakes, and watching Lake Ontario change through the seasons. I cannot count the times that my family walked the shores of Lake Ontario from our home down to Rattray Marsh. There was no amount of snow, wind, or rain that kept us away throughout the year. I recall my parents saying that we had to adapt for the weather outside. As a young child I felt a kinship with the trees on the shore as I knew they too were adapting with the weather outside. I left Canada in my twenties and lived in many other countries, yet nowhere else felt like home. I learned during that time how lost I was without my lake nearby. These days I get to pass on the tradition to my son and, no matter what the weather is outside, he too never says no to a walk by the lake.

Karen Kun is the Founder of Waterlution and a Co-Founder of Greatness: The Great Lakes Project.

Pour moi, les Grands Lacs sont la quintessence de l'Ontario et je ne me lasse pas de regarder le lac Ontario se métamorphoser au fil des saisons. Je ne puis compter le nombre de fois où ma famille s'est promenée sur les rives du lac Ontario, depuis notre maison jusqu'au marais Rattray. Rien ne pouvait nous arrêter, ni la neige, ni la pluie, ni le vent. Mes parents disaient toujours qu'il fallait composer avec les éléments. Enfant, je me sentais liée aux arbres qui poussaient sur la rive, car je savais qu'eux aussi devaient s'adapter aux éléments. J'ai quitté le Canada alors que j'étais dans la vingtaine, et j'ai vécu dans bien d'autres pays, pourtant, je ne m'y suis jamais sentie chez moi. J'ai alors compris que j'étais perdue sans mon lac à proximité. Maintenant, je transmets à mon fils nos traditions familiales et, quel que soit le temps, lui non plus ne s'oppose jamais à une promenade au bord du lac.

Karen Kun est la fondatrice de Waterlution et la cofondatrice du « Greatness: The Great Lakes Project » (projet sur l'excellence des Grands Lacs).

IMAGE | Karen Kun. *Lake Ontario, top right 130* | *Lac Ontario, en haut à droite 130*

86 | MICHAEL BUDMAN

I was ten years old when I first came to Canada on July 1, 1956, from my home in Detroit to Camp Tamakwa in Algonquin Park. I took the train with other campers to Toronto's Union Station. From there, buses drove us to Algonquin Park where we took a boat to camp.

When I arrived at Tamakwa, everything in my life changed. I saw all these staff members wearing lumberjack shirts and rubber boots. That image stuck with me and had a great influence on me at Roots. It was one of the most important days in my life. Camp became a major influence on me. I've leased my own cabin nearby since 1968. That's where Don Green and I came up with the idea for Roots in 1972. I feel fortunate every day to live in Canada. Moving here was one of the best decisions I ever made.

Michael Budman, CM is a Co-Founder of Roots Canada.

J'avais 10 ans lorsque je suis venu au Canada pour la première fois, le 1er juillet 1956, depuis mon domicile à Détroit jusqu'au camp Tamakwa, au parc Algonquin. J'ai pris le train avec d'autres campeurs pour me rendre à la station Union de Toronto. De là, des autobus nous ont conduits au parc Algonquin, où nous sommes embarqués dans un bateau à destination du camp.

Lorsque je suis arrivé à Tamakwa, tout a changé dans ma vie. J'ai vu tous ces membres du personnel portant des chemises de bûcherons et des bottes de caoutchouc. Cette image m'a frappé et a eu une grande influence sur moi à Roots. Cela a été l'un des plus importants jours de ma vie. Le camp est devenu une influence majeure sur moi. Je loue mon propre chalet à proximité, depuis 1968. C'est là que Don Green et moi-même avons eu l'idée de Roots, en 1972. Je me sens chanceux chaque jour de vivre au Canada. Déménager ici a été l'une des meilleures décisions que j'aie jamais prises.

Michael Budman, CM est un cofondateur de la société Roots Canada.

IMAGE | Chris Woods, Nuvo. *Green and Budman, bottom 130* | *Green et Budman, en bas 130*

87 | JOSEPH HARTMAN

I feel very lucky to have grown up in rural Ontario, where I spent my summers on the shores of Georgian Bay. I now return to these places from my childhood to photograph them. As well, being the son of an artist, I have many great memories of his studio. That drew me to other artists' studios, and four years ago I began to photograph studios in southern Ontario, and eventually across Canada.

Kim Dorland's Toronto studio was the first I photographed for this project. It was a great place to start; his studio was in a frenetic state as he prepared for an upcoming show in New York. There was paint everywhere and it was impossible not to get any on me as I navigated my way around his studio between wet paintings. I found this moment amidst the chaos.

Joseph Hartman is a photographer who lives and works in Hamilton and whose work can be found in several significant Canadian collections.

Je m'estime très chanceux d'avoir grandi dans une région rurale de l'Ontario, où je passais mes étés sur les rives de la baie Georgienne. Je retourne maintenant à ces lieux de mon enfance pour les photographier. De plus, étant le fils d'un artiste, j'ai beaucoup de magnifiques souvenirs du studio de mon père et c'est ce qui m'a attiré vers les studios d'autres artistes. Il y a quatre ans, j'ai commencé à photographier les studios du sud de l'Ontario et, en définitive, de partout au Canada.

Le studio de Toronto de Kim Dorland a était le premier studio que j'ai photographié pour ce projet. C'était un endroit fantastique où débuter puisque son studio était dans un état frénétique, car Kim se préparait pour une prochaine exposition à New York. Il y avait de la peinture partout et il était impossible de ne pas en avoir sur moi pendant que je me frayais un chemin autour du studio de Kim, entre des tableaux humides. J'ai trouvé ce moment parmi le chaos.

Joseph Hartman est un photographe qui vit et travaille à Hamilton; ses œuvres figurent dans un certain nombre de collections canadiennes d'importance.

IMAGE | Joseph Hartman. *Kim Dorland's studio, 2013* | *L'atelier de Kim Dorland, 2013*

88 | RON MACLEAN

On a crisp November morning, I walk my standard schnauzer, Jackson. It's windy and my dog is having a field day chasing leaves as they swirl past. The chill of winter is ahead, and I ponder the transformation of Ontario, from the red and gold of autumn to a blanket of snow and ice and hockey.

My impression of Ontario links directly to hockey. Many towns claim the game's origins, and they each have legitimate stakes. But for me, it took Ontario to popularize the red maple leaf as a symbol of Canada and our province.

Our national flag, inspired by that of Kingston's Royal Military College, sports a Sugar Maple leaf. The University of Toronto was the first institution to have a red maple leaf logo. In 1908 our first official Canadian Olympic team had a red leaf as team logo, and Conn Smythe named the NHL team in Toronto the Maple Leafs. The sugar maple leaf is ubiquitous to Canada, but it took Ontario to make it so.

And look, Jackson, there's one coming.

Ron MacLean is host of "Hockey Night in Canada" and "Rogers Hometown Hockey."

Par un froid matin de novembre, je promène mon schnauzer moyen, Jackson. Il vente et mon chien s'amuse à chasser les feuilles mortes roulant à nos pieds. La morsure de l'hiver est à nos portes, et je réfléchis aux transformations de la nature ontarienne, qui passe du rouge à l'ocre, à la blancheur de l'hiver et à ses jeux sur glace. J'ai alors pensé au hockey.

Dans mon imaginaire, l'Ontario est synonyme de hockey. Bien des villes affirment être le berceau du hockey, et elles ont toutes de bonnes raisons de le croire. Mais pour moi, c'est l'Ontario qui a fait de la feuille d'érable rouge le symbole du Canada et de notre province.

Le motif de notre drapeau national, la feuille d'érable, s'inspire du drapeau du Collège militaire royal, à Kingston. L'Université de Toronto a été le premier établissement à choisir le logo de la feuille d'érable rouge. En 1908, notre première équipe olympique canadienne avait la feuille d'érable rouge pour logo, et Conn Smythe a baptisé « Maple Leafs » l'équipe de la LNH de Toronto. La feuille d'érable est omniprésente au Canada, mais c'est bien grâce à l'Ontario.

Tiens, regarde Jackson, attrape celle-là.

Ron MacLean est l'animateur des émissions « Hockey Night in Canada » et « Rogers Hometown Hockey ».

IMAGE | Sanjeev Kugan. *Top left | en haut à gauche*

89 | BOB RAE

I was lucky enough as a small boy to spend time fishing in the summer with my dad on Big Rideau Lake. We both loved it, and I guess the thrill of it all made me feel more grown up and my dad more like a kid. My cottage on that same wonderful lake today is right at the point where the Canadian Shield begins. And the haunting call of the loon, a bird said to be millions of years old, touches me now as it did when I was five. Working in the far North I am struck by how far away the city feels, and how much each of us would benefit from knowing the wonderful noisy diversity of city life as well as the call of the wild and the splash of a fish at the side of a boat. There is hardship and strife, and it touches us all as Ontarians, but it is hard not to feel so lucky that these are all places I can call home.

The Hon. Robert K. "Bob" Rae, PC, CC, OOnt, QC served as the twenty-first Premier of Ontario (1990–1995).

Petit garçon, j'ai eu la chance d'aller pêcher l'été avec mon père au Grand Lac Rideau. Nous avions tellement de plaisir, et cette exaltation faisait en sorte que je me sentais un peu comme un adulte, et mon père, comme un enfant. Aujourd'hui, mon chalet sur la rive de ce même lac est situé exactement là où commence le Bouclier canadien. Et l'appel envoûtant du huard, cet oiseau qui existerait depuis des millions d'années, me touche toujours autant que lorsque j'étais enfant. Travaillant dans le Grand Nord, la ville me semble si lointaine, mais je suis convaincu que chacun de nous bénéficierait de connaître tant la merveilleuse et bruyante clameur de la cité que le doux murmure de la nature et le clapotis d'un poisson sur le bord d'une chaloupe. Les épreuves et les conflits sont partout autour de nous, et ils nous touchent tous en tant qu'Ontariens, mais il est difficile pour moi de ne pas me considérer chanceux de pouvoir me sentir chez moi tant en ville qu'à la campagne.

L'honorable Robert K. « Bob » Rae, cp, CC, OOnt, cr a été le 21e premier ministre de l'Ontario, de 1990 à 1995.

IMAGE | Kevin Pepper. *Loon, top right 136* | *Huard, en haut à droite 136*

90 | DIANNE SAXE

I love the physical beauty of Ontario, especially the wild, treed places where human noise and damage are at a minimum. I go to Algonquin Park almost every year to paddle, hike, or ski.

Once, when my children were just old enough to carry real packs, we made it to the end of a difficult portage and stopped to eat our lunch. We sat together on a log, gazing at the beautiful lake, gratefully munching our peanut-butter sandwiches.

Then there was a sound. When we turned to look just behind us, there stood a mother moose and her calf. Were we in their way? Or were they tempted by our sandwiches? We gazed at each other for a long magical moment, before the moose stepped delicately into the woods and disappeared. What a privilege, and responsibility, to share our land with such creatures.

Dianne Saxe is the Environmental Commissioner of Ontario.

J'aime l'attrait physique de l'Ontario, plus particulièrement les aires sauvages et boisées où le bruit et les dégâts d'origine humaine sont le moins intenses. Je me rends au parc Algonquin presque tous les ans pour pagayer, ou faire des randonnées pédestres ou du ski.

Un jour, alors que mes enfants étaient juste assez vieux pour transporter de vraies charges, nous sommes parvenus à la fin d'un portage difficile et nous nous sommes arrêtés pour déjeuner. Nous étions assis ensemble sur un tronc d'arbre et contemplions le superbe lac en prenant avec gratitude des bouchées de nos sandwiches au beurre d'arachides.

Nous avons tout à coup entendu un bruit. Lorsque nous nous sommes retournés pour regarder juste derrière nous, nous avons aperçu un orignal femelle et son petit. Étions-nous en travers de leur route? Ou étaient ils attirés par nos sandwiches? Nous avons échangé des regards avec ces orignaux pendant un long moment magique, avant qu'ils entrent délicatement dans le bois et disparaissent. Quel privilège, et quelle responsabilité, que de partager nos terres avec de telles créatures!

Dianne Saxe est la commissaire à l'environnement de l'Ontario.

IMAGE | Bob Hilscher, Frame to Frame. *Algonquin Provincial Park, bottom 136* | *Parc provincial Algonquin, en bas 136*

91 | APRIL HICKOX

I am interested in exploring notions of the wild and what we know wilderness to be, in particular how we use and form landscape through personal interventions and through public land stewardship. I have photographed Point Pelee National Park for well over a decade. This small strip of land was once a vibrant community until the 1970s when houses and farmlands were demolished in order to develop this unique ecosystem. Point Pelee is now a world-renowned national park that is recognized for its bird and butterfly populations. Parks Canada has been carefully nurturing the land to recreate its original Carolinian forest, featuring large tracts of land for savannahs and wetlands, and room for indigenous species to thrive. Over the years I have documented the overlapping layers of human and natural histories as nature with our help does its best work.

April Hickox is a photographer, teacher, and curator living on the Toronto Islands.

J'aime explorer les notions de la nature sauvage et ce que nous en savons, en particulier comment nous utilisons et façonnons le paysage par des interventions personnelles et l'intendance des terres publiques. J'ai photographié le parc national de la Pointe Pelée pendant plus d'une décennie. Cette petite parcelle de terre a déjà été occupée par une collectivité dynamique jusqu'au cours des années 1970, lorsque les maisons et les fermes ont été démolies en vue de développer cet écosystème unique. Pointe Pelée est maintenant un parc national de renommée mondiale reconnu pour ses populations d'oiseaux et de papillons. Parcs Canada a pris grand soin du territoire afin de recréer la forêt carolinienne originale, présentant de larges bandes de terre pour les savanes et les terres humides, ainsi que de la place permettant aux espèces indigènes de s'épanouir. Au cours des années, j'ai documenté les couches chevauchantes d'histoires humaines et naturelles puisque la nature fait son meilleur travail avec notre aide.

April Hickox est une photographe, enseignante et conservatrice, résidente des îles de Toronto.

IMAGE | April Hickox. *Point Pelee National Park, top* | *Parc national de la Pointe-Pelée, en haut*

92 | ADAM NOBLE

It was a fall afternoon on the shores of Clear Lake, Ontario. A cool breeze dappled the ground with sunlight through the trees, and the water was disturbed only by the occasional jumping fish. This quintessential lakeside wilderness was my childhood playground, and on this day it inspired the start of an irreversible journey of discovery and possibility.

As a child, I was encouraged by my outdoorsy parents to explore the natural world. This meant overturning rocks to inspect insects and discovering the mysteries below the water's surface. In this backyard playground, I was inspired. What if nature was the real solution to many of our human-made problems and instead of creating a solution of human design why don't we employ resilient organisms that evolved millennia ago to help us? This thought marked the beginning of my company, Noblegen. The many wonders of Ontario's natural landscape shaped my childhood, my values, my research, my company, and the legacy I wish to impart.

Adam Noble is the Founder and CEO of biomaterials company Noblegen. In 2014, he was named one of Canada's Top 20 Under 20.

C'était un après-midi d'automne sur les rives du lac Clear, en Ontario. Le soleil tachetait le sol sous l'effet d'une brise fraîche qui traversait les arbres, et seul le saut occasionnel de poissons troublait l'eau. Ce milieu sauvage par excellence au bord du lac était le terrain de jeu de mon enfance et a, ce jour-là, inspiré le début d'un voyage sans retour empreint de découvertes et de possibilités.

Lorsque j'étais enfant, mes parents, qui adoraient le plein air, m'encourageaient à explorer la nature. Cela consistait pour moi à retourner les pierres pour examiner des insectes et à découvrir les mystères qui se trouvaient sous la surface de l'eau. Ce terrain de jeu de notre arrière-cour a été pour moi une source d'inspiration. Et si la nature était la vraie solution à bon nombre de nos problèmes d'origine humaine, et au lieu d'adopter une solution créée par l'être humain, pourquoi ne pas recourir à l'aide d'organismes résistants ayant évolué il y a des millénaires? Cette idée a marqué le début de mon entreprise, Noblegen. Les nombreuses merveilles du paysage naturel de l'Ontario ont façonné mon enfance, mes valeurs, mes recherches, mon entreprise, et l'héritage que je souhaite laisser.

Adam Noble est le fondateur et directeur général de la société de biomatériaux Noblegen. Il comptait parmi les « 20 ados avec brio » de 2014.

IMAGE | Eric Siegrist. *Lake water, bottom left 141* | *L'eau d'un lac, en bas à gauche 141*

93 | CHARLES PACHTER

My Ontario is about Lake Simcoe where I painted in a shoreline studio for twelve magnificent summers.

From my diary:

July 20 Twilight. I just came out of the lake after a second swim. Water so pleasant, soothing, swirling waves lapping noisily on the shore. I waded into the water for comfort and peaceful solitary pleasure. Dove in, eyes wide open, went straight down through the clear amber water to within a foot of the pebbles, stones, rocks at the bottom, surfaced near a loon who hollered before plunging down deep. I surveyed my domain with great glee.

I lay on my back, watching clouds float by over the swaying treetops. The sounds were mesmerising — a faint roar, an echoing ebb and flow. Then a palette of whitecaps, moving, roiling, then calm and still. At the shoreline gorgeous daisies swayed in the wind alongside tall grasses, raspberry bushes, mulleins, and monarch butterflies.

I was feeling blissful, AT HOME IN MY LAKE.

Charles Pachter, OC, OOnt is an award-winning artist whose work has been exhibited at the Art Gallery of Ontario.

Mon Ontario à moi, c'est le lac Simcoe, où j'ai passé douze magnifiques étés à peindre dans un studio situé sur la rive du lac.

Extrait de mon journal :

20 juillet, crépuscule. Je viens de nager une seconde fois dans le lac. L'eau est agréable, relaxante, des vagues tourbillonnantes éclatent bruyamment sur le rivage. J'ai pataugé pour m'adapter à la température de l'eau et savouré avec bonheur ce moment de solitude et de sérénité. J'ai plongé à pic, les yeux grands ouverts dans l'eau limpide, ambrée, à un pied des cailloux, des pierres et des rochers qui tapissent le fond de l'eau, puis j'ai refait surface à proximité d'un huard qui huait avant de plonger. J'ai exploré mon domaine avec joie.

Je m'allonge sur le dos et j'observe le mouvement des nuages flottant par-delà la cime des arbres. Sons hypnotiques — un vague grondement, écho du flux et du reflux. Puis les métamorphoses de l'écume. Elle éclate, roule, bouillonne, puis disparaît. Sur le rivage, des marguerites se balancent au vent, parmi les herbes hautes, les buissons de framboises, les molènes et les papillons monarques.

J'étais en état de grâce, CHEZ MOI, AU BORD DE MON LAC.

Charles Pachter, OC, OOnt est un artiste primé dont les œuvres ont été exposées au Musée des beaux-arts de l'Ontario.

IMAGE | Charles Pachter. *His lakeside studio, bottom right 141* | *Son atelier au bord du lac, en bas à droite 141*

94 | JAMIE KENNEDY

Over the past fifteen years I have been a weekend warrior. My life revolved around family and enterprise in Toronto but I longed for a more meaningful connection to my farm in Prince Edward County. This year, with my kids grown up and on their own, I have been able to plant myself on the farm.

One of the first things I remember about settling into my new rural home was the tour of the property conducted by the previous owner. It was such a lovely gesture on his part to personally walk me around, pointing out landmarks and boundaries; here is the abandoned rail that cuts right through, over there is the thirty-five-acre woodlot. "It could use some thinning," he said. "Let me recommend a good arborist." It was like the passing of the baton. It felt like a powerful moment. The proper stewardship of this land is now in my hands. My watch had begun.

Jamie Kennedy, CM is a chef and the owner of Jamie Kennedy Kitchens, which fosters regional gastronomy, specifically as it relates to Prince Edward County.

Au cours des 15 dernières années, j'ai été un athlète du dimanche. Ma vie tournait autour de ma famille et de notre entreprise à Toronto, mais j'avais envie d'avoir un lien plus significatif avec ma ferme, dans le comté de Prince Edward. Cette année, mes enfants sont devenus grands et autonomes, j'ai enfin pu m'installer à la ferme.

Alors que j'allais m'installer dans ma nouvelle maison de campagne, une des premières choses dont je me souviens est la visite de la propriété par le propriétaire précédent. Ce fut un si beau geste de sa part de m'avoir personnellement fait faire le tour, en me montrant les repères et les limites! Il me disait : « voici la voie ferrée abandonnée qui traverse le terrain; là-bas, c'est le boisé de 35 acres, il pourrait être éclairci. Permettez-moi de vous recommander un bon arboriculteur ». C'était comme le passage du flambeau. C'était un moment très puissant. L'intendance de cette terre est maintenant entre mes mains. Ma garde est commencée.

Jamie Kennedy, CM, chef et propriétaire de Jamie Kennedy Kitchens qui fait une place de choix à la gastronomie de proximité, particulièrement en ce qui concerne les produits du comté de Prince Edward.

IMAGE | Jo Dickins. *Chef Jamie Kennedy, top left* | *Le chef Jamie Kennedy, en haut à gauche*

95 | JANE URQUHART

In the summer of 1950, when I was still a baby, my family left our log house on Lake Kenogamisis in Little Long Lac and boarded a floatplane in the nearby hangar. Although we were already living two hundred and fifty kilometres north of Thunder Bay, we were about to fly further north to O'Sullivan Lake where my prospector father hoped a mine would develop. We were to live in a rough log cabin, haul water from the lake, and subsist on supplies dropped off by passing bush planes.

The morning after our arrival, the local Anishinaabe Chief paddled across the lake to greet us, and brought with him his three little girls for me to play with and a small pair of embroidered deerskin moccasins for me to wear.

Plans for the mine were abandoned, which may be just as well. The moccasins, however, are still with me, their embroidery as bright and their deerskin as soft as ever.

Jane Urquhart, OC is an award-winning novelist. She lives in southeastern Ontario with her artist husband, Tony.

À l'été 1950, alors que j'étais encore un bébé, ma famille et moi avons quitté notre maison en bois rond sur la rive du lac Kenogamisis, à Little Long Lac, et sommes tous montés à bord d'un hydravion dans un hangar d'aviation non loin de chez nous. Nous vivions à 250 kilomètres au nord de Thunder Bay, et nous nous apprêtions à nous envoler encore plus au nord, au lac O'Sullivan, où mon père, prospecteur, espérait l'essor d'une exploitation minière. Mes parents avaient décidé que nous nous installerions dans une cabane en rondins, où nous allions être obligés de puiser notre eau du lac et subsister sur les vivres que laisseraient tomber les avions de brousse de temps à autre.

Le lendemain matin de notre arrivée, le chef de la tribu Anishinaabe est venu nous souhaiter la bienvenue en canot; accompagné de ses trois petites filles venues jouer avec moi, il m'a offert des mocassins en peau de cerf brodés.

Le projet de mine n'a jamais abouti, et c'est peut-être mieux ainsi. Quant aux mocassins, je les ai toujours; la broderie est encore éclatante, et le cuir aussi doux.

Jane Urquhart, OC est une romancière primée. Elle vit dans le sud-ouest de l'Ontario avec Tony, son mari artiste peintre.

IMAGE | Jane Urquhart. *The moccasins, top right 144* | *Les moccasins, en bas à droite 144*

96 | RACHEL PARENT

We are so blessed in Ontario to have beautiful, fertile land, clean sparkling water, and breathtaking rugged wilderness, while at the same time being home to some of the most advanced and progressive cities in the world. This diversity, together with our cultural diversity, and a strong connection to our past, is what makes Ontario a very special place.

As a youth activist with an intense desire to speak up about serious environmental issues impacting our planet — including climate change, soil and water contamination, and the health and environmental risks of genetically modified organisms — I greatly value my freedom of speech and the support and volunteerism of Ontarians of all races, cultures, and religions.

This encouragement has given me optimism about our future, and made me realize that there's a real shift in thinking that will continue to shape our great province, leading us to a better tomorrow.

Rachel Parent is a teen food activist based in Toronto.

Nous avons tant de chance en Ontario, dans cette province de terres fertiles, d'eaux fraîches et limpides, pourvue d'une nature rude et sauvage, mais dotée de villes parmi les plus évoluées et les plus progressistes du monde. Cette diversité, tout comme notre diversité culturelle, de même que notre solide attachement au passé, sont ce qui fait de l'Ontario un endroit unique.

En tant que jeune militante, je désire m'exprimer sur des questions graves qui touchent de près notre planète — par exemple, les changements climatiques, la contamination du sol et de l'eau, et le danger que posent à notre santé et à l'environnement les organismes génétiquement modifiés — et j'apprécie grandement ma liberté de parole et la générosité d'Ontariens de toutes races, cultures et religions qui s'engagent dans le bénévolat.

Tous ces facteurs m'ont portée à être optimiste quant à l'avenir et m'ont permis de constater que, désormais, nous appréhendons le monde d'une façon différente, ce qui aura une incidence favorable sur l'avenir de notre grande province et nous aidera à créer des lendemains meilleurs.

Rachel Parent est une adolescente militante de la sécurité alimentaire qui vit à Toronto.

IMAGE | Mark Spowart / CP. *Southwestern Ontario farm, bottom 144* | *Une ferme du sud-ouest de l'Ontario, en bas 144*

97 | MARK PECK

Twice a year, thousands of Arctic-breeding shorebirds move through southwest James Bay in Northern Ontario during their northbound and southbound migrations. Some stop for only a few days while others feed and fatten for over a month before heading to wintering areas as far south as Tierra del Fuego on the southern tip of South America.

James Bay is the southernmost part of Ontario's Arctic Ocean coastline, unfamiliar to most, an area of natural beauty and rich biodiversity. For several summers, I have participated in a partnership between Moose Cree First Nation, students, volunteers, and researchers from the federal and provincial governments. We study the migration and stopover sites of the birds to gain a greater understanding of the critical importance of James Bay during their annual migrations. It has been a wonderful opportunity to learn from each other and to work together to help protect a unique part of the province.

Mark Peck oversees the ornithology collection at the Royal Ontario Museum.

Deux fois l'an, des milliers d'oiseaux de rivage reproducteurs de l'Arctique passent par le sud-ouest de la baie James, dans le nord de l'Ontario, pendant leurs migrations vers le nord et vers le sud. L'escale de certains ne dure que quelques jours, tandis que d'autres se nourrissent et s'engraissent pendant plus d'un mois avant de mettre le cap sur des aires d'hivernage bien au sud, comme Tierra del Fuego, à l'extrémité sud de l'Amérique du Sud.

La baie James se trouve dans la partie la plus au sud de la côte de l'océan Arctique située en Ontario. Peu de gens la connaissent, bien qu'elle soit d'une beauté naturelle et d'une riche biodiversité. Pendant plusieurs étés, j'ai pris part à un partenariat entre la Première Nation Moose Cree, des étudiants, des bénévoles et des chercheurs du gouvernement fédéral et du gouvernement provincial. Nous avons étudié la migration et les lieux d'escale des oiseaux afin de mieux comprendre l'importance critique que revêt la baie James pour ces migrations annuelles. Ce travail nous a permis de faire un échange de connaissances et de déployer des efforts concertés pour aider à protéger cet aspect unique de la province.

Mark Peck supervise la collection ornithologique du Musée royal de l'Ontario.

IMAGE | Mark Peck. *James Bay, top* | *La baie James, en haut*

98 | JOE MACINNIS

Mother O comes to us each morning full of sunrise and surprise
suggestion of swagger in her luminous lakes and landscapes
posing irresistible questions about character, time and space

Caught in the pull of her primal energies and possibilities
we are a song of constructions
about inequalities, social justice and human rights
Winter winds off Hudson's Bay, summer breezes from Lake Erie
helping to erase linguistic and national boundaries

Mother O is geographic ballad and benediction
Subtle enhancer of empathy, eloquence and endurance
Watershed and fountainhead for tomorrow
Listen. In the silence you can hear the future breathing.

Joseph MacInnis, CM, OOnt is a physician, author, poet, and underwater diver.

Mère O, éclaire-nous chaque matin de tes rayons et de tes merveilles
Toi qui évoques la fierté quand tu brilles sur tes lacs et tes paysages
Et qui poses d'irrésistibles questions sur les gens, le temps et l'espace

Nous sommes là, aux prises avec tes énergies primales et tous tes possibles
Nous sommes ton hymne, nous sommes ton œuvre
Perclus d'inégalités, aspirant à la justice sociale et aux droits de la personne
L'hiver balaie la baie d'Hudson, l'été souffle du lac Érié
Effaçant un peu des frontières linguistiques et nationales

Mère O, tu es une expédition, une bénédiction
Source subtile d'empathie, d'éloquence et d'endurance
À la fois bassin et fontaine d'avenir
Écoute, dans le silence, le souffle du futur.

Joseph MacInnis, CM, OOnt est un médecin, auteur, poète et adepte de la plongée sous-marine.

IMAGE | Jennifer Squires. *Lake Erie #4, bottom 147* | *Lac Érié n° 4, en bas 147*

150 | Keep it beautiful
À admirer et à chérir

99 | FARAH MOHAMED

For some people, Niagara Falls is a wonder of the world or a honeymoon destination. For me, from the age of three, it has symbolized an escape and, at the same time, a place of belonging. My family came to Canada as refugees from Uganda. We were on a limited budget so I can imagine the struggle my parents faced to keep my sister and me occupied. As we were residents of St. Catharines, Niagara Falls was close enough to visit yet far enough to be an adventure. I remember the picnics my mom would pack and the treats my dad would sneak in. I recall the sound of the Falls, the mist that would spray us if we got too close. Some forty years later, I admit that I fall back into kid mode whenever I find myself in front of the Falls — mesmerized by its beauty and scared of its power yet standing on my tiptoes to try to see the bottom.

Farah Mohamed is the Founder & CEO of G(irls)20.

Pour certaines personnes, les chutes Niagara sont une merveille du monde ou une destination de lune de miel. Pour moi, depuis l'âge de trois ans, elles symbolisent une évasion et, en même temps, un lieu d'appartenance. Ma famille est venue au Canada en tant que réfugiée de l'Ouganda. Nous avions un budget limité, alors j'imagine que mes parents ont eu beaucoup de créativité pour que moi et ma sœur soyons occupées. En tant que résidents de St. Catharines, les chutes Niagara étaient assez proches pour s'y rendre, mais tout de même assez loin pour qu'elles demeurent un lieu d'aventure. Je me souviens des pique-niques que ma mère emballait et des friandises que mon père y ajoutait. Je me souviens du bruit des chutes, de la brume qui nous arrosait légèrement si nous nous approchions trop. Quelque 40 ans plus tard, j'avoue que je me sens comme une enfant chaque fois que je me retrouve devant les chutes, hypnotisée par leur beauté et effrayée de leur puissance, tout en me tenant sur mes orteils afin d'essayer de voir le fond.

Farah Mohamed est la fondatrice et directrice générale de l'organisme G(irls)20.

IMAGE | Chris Thomaidis. *Niagara Falls, top* | *Les chutes Niagara, en haut*

100 | CELIA MEDCALF

The Indigenous meaning of the name alludes to water. I like the "O" at its bow and stern. I hear the French au and eau. I see O in voyageur, diplomatic history, Loyalist. O as in Constitution Act, Union Act, and British North America Act. Or the O which loosely connects Lieutenant Governor Simcoe's Old York of 1792 to Toronto, the capital of the new province, in 1867. O in global innovation. O in equal opportunity and social development. So much to be proud of!

O can be reflected as the digit "0" in the waters of one huge beautiful territory too. The 1,000 Islands and the 30,000 Islands are a small fraction of the province's roughly one million square kilometres. How fortunate we are with the abundant natural landscapes, biodiversity, and ecosystem services cuddled in so much fresh water.

Let's respect the O in our wow factor, through a responsible economy and protected environment!

Celia Medcalf lives in Brockville. One parent immigrated to Ontario after the Second World War. The other's ancestors came before Confederation.

Le mot «Ontario» en langue autochtone évoque l'eau. J'aime la proue et la poupe du «O». J'y vois les mots au et eau; le «O» dans «voyageur», «histoire diplomatique», «loyaliste», «loi constitutionnelle», «Acte d'union», «Actes de l'Amérique du Nord britannique»; le «O» qui relie le vieux York de 1792, celui du lieutenant-gouverneur Simcoe, à Toronto, capitale provinciale en 1867. «O», comme dans innovation mondiale, « occasions d'avoir des chances égales» et «développement social». Autant de choses dont on peut être fiers!

Le «O» de l'Ontario comme les zéros dans les 1 000 Îles et les 30 000 Îles, ce majestueux territoire composé d'eau et de terres, soit une infime portion de cette vaste province d'environ un million de kilomètres carrés. Quelle chance nous avons de vivre avec cette abondance — paysages naturels, biodiversité et services écosystémiques — blottie au sein de vastes étendues d'eau douce.

Émerveillons-nous avec le «O» — favorisons une économie responsable et protégeons l'environnement!

Celia Medcalf vit à Brockville. Un de ses parents a immigré en Ontario après la Deuxième Guerre mondiale, et les ancêtres de l'autre sont arrivés avant la Confédération.

IMAGE | AO. *Thousand Islands, 1959, bottom left 153* | APO. *Les 1 000 Îles, 1959, en bas à gauche 153*

101 | SHAWN MICALLEF

Borderland Ontario. Heading west past Chatham on Highway 401, Ontario becomes the flattest place on earth. Glimpses of the Detroit skyline across farmland come into view around the Essex County line at Tilbury. Growing up in the borderlands, seeing America from our Ontario homes was as common as Torontonians using the CN Tower as their reference point. Windsor and Detroit form the only cross-border metropolis along our shared border, and the two cultures and economies overlap and mix. We would sit by the Detroit River and see the electric glow and hear the crowd from Tiger baseball games on hot summer nights and admire that skyline as if it were our own. The international relationship Canada frets about the most is intimate and lived every day in Windsor, affording a great perspective on the US, but also Canada, something I've tried not to let go of.

Shawn Micallef is a writer whose latest book is *Frontier City: Toronto on the Verge of Greatness.*

Région frontalière de l'Ontario. Sur l'autoroute 401, en direction ouest, l'Ontario devient l'endroit le plus plat de la Terre. Aux limites du comté d'Essex, à Tilbury, on aperçoit la ligne d'horizon de Détroit, par-delà les terres agricoles. Habiter la zone frontalière de l'Ontario, c'est avoir l'Amérique pour point de repère, comme la Tour CN pour les Torontois. Windsor et Détroit forment la seule métropole transfrontalière le long de la frontière canado-américaine. Les deux cultures et les deux économies s'y chevauchent et s'y mélangent. Par de chaudes nuits d'été, il suffisait de s'asseoir au bord de la rivière Détroit pour apercevoir la lueur des projecteurs qui éclairaient les parties de baseball des Tigers et pour entendre les acclamations de la foule. On admirait cette ligne d'horizon comme si elle nous appartenait. La relation internationale qui préoccupe le plus le Canada se vivait quotidiennement et intimement à Windsor. Nous avions alors une excellente perspective sur les États-Unis et le Canada que je tente d'ailleurs de conserver.

Shawn Micallef est un auteur dont le dernier ouvrage publié s'intitule *Frontier City: Toronto on the Verge of Greatness.*

IMAGE | Shawn Micallef. *Viewing Detroit, bottom right 153* | *Coup d'œil à Detroit, en bas à droite 153*

102 | ANN YK CHOI

My husband, daughter, and I embraced Ontario's slogan "Yours To Discover" by driving along the Great Lakes' shorelines and exploring communities, both big and small. A child's tombstone in the remote town of Gogama, a conversation with a blind hiker on Flowerpot Island, and kimchi found in Korean restaurants dotted all over the province were among the things that left me wanting to write about what I saw and experienced. As an ESL student struggling to adapt to a new country, I realized early on the beauty of the English language and the opportunities that learning it would open for me. Yet, it would take decades before I found the courage to write my stories. In "discovering" Ontario's many treasures, I found the inspiration to share them. Forty-two years ago my parents chose Canada — chose Ontario as our new home. We didn't know then how wisely they had chosen, and how grateful I'd be one day.

Ann YK Choi is the author of *Kay's Lucky Coin Variety* and is a teacher with the York Region District School Board.

Mon époux, ma fille et moi-même avons adopté la devise de l'Ontario « Tant à découvrir », en conduisant le long des rives des Grands Lacs et en explorant les collectivités, grandes et petites. La tombe funèbre d'un enfant dans la ville éloignée de Gogama, une conversation avec un cycliste aveugle sur l'île Flowerpot, et du kimchi trouvé dans des restaurants coréens parsemés dans toute la province, sont parmi les choses qui m'ont incitée à écrire au sujet de ce que j'ai vu et expérimenté. À titre d'étudiante de l'anglais, langue seconde, s'efforçant de s'adapter à un nouveau pays, j'ai réalisé rapidement la beauté de la langue anglaise et les possibilités que son apprentissage m'ouvrirait. Pourtant, des décennies se sont écoulées avant que je trouve le courage d'écrire mes histoires. En « découvrant » les nombreux trésors de l'Ontario, j'ai trouvé l'inspiration pour les partager. Il y a 42 ans, mes parents ont élu domicile au Canada — choisissant l'Ontario comme notre nouvelle demeure. Nous ne savions pas alors à quel point leur décision était sage, et dans quelle mesure je leur serais reconnaissante aujourd'hui.

Ann YK Choi est l'auteure du roman *Kay's Lucky Coin Variety*; elle est également enseignante au sein du Conseil scolaire du district de York.

IMAGE | Susan David. *Flowerpot Island, top left* | *L'île Flowerpot, en haut à gauche*

GATEWAY OF THE NORTH
CITY OF NORTH BAY

103 | MIKE HARRIS

For me, the essence of Ontario always has been and always will be Northern Ontario. Our North represents and magnifies everything I love about our great province: pristine water, rich natural resources, majestic wildlife, and people with a strong work ethic and an inspiring spirit of community. I have been fortunate to have both lived and worked throughout our beautiful province, but I always feel most at home in the North. And I find great joy in experiencing all that it has to offer with my children and grandchildren.

As we look to Ontario's next one hundred and fifty years, it will be so important to ensure that Northern Ontario can prosper and grow. We must find that perfect balance between a thriving resource-based economy and stewardship of the land for the generations that will come after us. A strong and beautiful North in a strong and beautiful Ontario is something worth celebrating.

Michael D. "Mike" Harris served as the twenty-second Premier of Ontario (1995–2002).

Pour moi, l'essence de l'Ontario a toujours été et sera toujours le Nord ontarien. Notre Nord représente et amplifie tout ce que j'aime au sujet de notre superbe province : des eaux pures, de riches ressources naturelles, une faune majestueuse, et des personnes ayant une éthique de travail solide et un esprit de communauté inspirant. J'ai eu la chance d'avoir vécu et travaillé partout dans notre superbe province, mais je me suis toujours senti le plus chez moi dans le Nord. Et j'éprouve beaucoup de joie à faire l'expérience de tout ce qu'il a à offrir, avec mes enfants et petits-enfants.

Alors que nous envisageons les 150 prochaines années de l'Ontario, il sera très important de veiller à ce que le Nord ontarien puisse prospérer et croître. Nous devons trouver l'équilibre parfait entre une économie prospère fondée sur les ressources, et l'intendance du territoire pour les générations qui viendront après nous. Un Nord solide et merveilleux dans un Ontario solide et merveilleux est quelque chose qu'il vaut la peine de célébrer.

Michael D. « Mike » Harris a été le 22e premier ministre de l'Ontario de 1995 à 2002.

 IMAGE | Tom Samworth. *North Bay gateway, 2015, top right 157* | *L'entrée de North Bay, 2015, en haut à droite 157*

104 | GEOFF CAPE

Ontario's great landscape has always been my backyard. The chance to play, explore, and connect with nature has profoundly shaped my perspective and my work. We are defined by our vast lakes, meandering rivers, and wooded forests as much as we are defined by our cultural diversity and our vibrant cities. Yet so many of us living in urban centres are not connected to these natural wonders. Over the past one hundred and fifty years Ontario has changed with more people, more buildings, more cars, and more roads, but our lakes, our rivers, and our forests transcend all of this with grace in all four seasons. The forty-four-thousand-acre ravine system of Toronto is the largest urban river system in the world, and it connects to our 1.8 million-acre Greenbelt, offering the foundation for a great future — connecting our cities to the natural landscape of Ontario.

Geoff Cape is the Founding CEO of Evergreen. In 1999, he was named one of Canada's Top 40 Under 40.

Le superbe paysage de l'Ontario a toujours été ma cour arrière. La chance de jouer, d'explorer et de connecter avec la nature a façonné profondément ma perspective et mon travail. Nous sommes définis par nos vastes lacs, nos rivières sinueuses et nos forêts boisées, autant que nous sommes définis par notre diversité culturelle et nos villes dynamiques. Pourtant, tellement d'entre nous qui vivons dans les centres urbains n'ont pas de liens avec ces merveilles naturelles. Au cours des 150 dernières années, l'Ontario a changé, avec un plus grand nombre de gens, d'immeubles, d'automobiles et de routes, mais nos lacs, nos rivières et nos forêts transcendent tout ceci avec grâce, et ce, tout au long des quatre saisons. Le système de ravins de 44 000 acres de Toronto est le réseau hydrographique urbain le plus important au monde, et il connecte avec notre ceinture verte de 1,8 million d'acres, offrant le fondement pour un avenir fantastique — reliant nos villes aux paysages naturels de l'Ontario.

Geoff Cape est le fondateur et chef de la direction d'Evergreen. Il a été du nombre des « 40 Canadiens performants de moins de 40 ans » en 1999.

IMAGE | Evergreen, *Evergreen Brick Works, bottom 157* | *en bas 157*

TD
SKATES

105 | ALEX BOZIKOVIC

My father worked in a black box in the sky — as massive and dark as the Death Star. This was my childhood sense of the Toronto-Dominion Centre, gained from visits through the glimmering stone lobby and up an endless elevator ride. I know now that I had it half right. The black steel towers were tall and sober, mystical in precision and restraint, the language of modernist master Mies van der Rohe applied to a city of brick and grime. But as I look at the TD Centre today, it is not fearsome at all: within a chest-bumping cluster of skyscrapers, it is a humane work of art, from gracious granite plaza to precise proportions of matte steel I-beams, and the grain of the oak in its banking hall. My father no longer works there, but I sometimes stop beneath the towers just to catch my breath. In a world that feels smaller and noisier and more complex, this place continues to reach, quietly and gracefully, for the heavens.

Alex Bozikovic is *The Globe and Mail's* Architecture Critic and the co-author of *Toronto Architecture: A City Guide.*

Mon père travaillait dans une boîte noire dans le ciel — aussi massive et sombre que l'étoile de la mort. C'était mon impression d'enfance du Centre Toronto-Dominion, acquise au cours de visites en passant par le hall de réception en pierre scintillante pour prendre l'ascenseur, qui montait interminablement. Je sais aujourd'hui que je n'avais compris qu'à moitié. Les tours d'acier noir étaient hautes et sobres, mystiques de précision et de retenue, le langage du maître moderniste Mies van der Rohe appliqué à une ville de briques et de souillures. Mais, lorsque je regarde le Centre TD aujourd'hui, il n'est pas effrayant du tout: faisant partie d'une grappe de gratte-ciel dont nous nous targuons, c'est une œuvre d'art humaine, depuis la gracieuse esplanade de granite jusqu'aux proportions précises des poutres d'acier mat, et au grain de chêne du hall de la banque. Mon père ne travaille plus là, mais parfois je m'arrête juste sous les tours pour reprendre mon souffle. Dans un monde qui semble plus petit, plus bruyant et plus complexe, cet endroit continue de tendre vers le ciel, silencieusement et gracieusement.

Alex Bozikovic est un critique d'architecture au journal *The Globe and Mail* et le coauteur de *Toronto Architecture : A City Guide.*

IMAGE | Vik Pahwa. *Toronto-Dominion Centre, top left | Centre Toronto-Dominion, en haut à gauche*

106 | CHRIS BATEMAN

The CN Tower is one of the most important buildings in Canada. Like it or loathe it, the five-hundred-and-fifty-three-metre concrete tower, opened to the public on June 26, 1976, is the defining structure of Toronto and often the country. It's the building distinguishing the skyline from other world cities, a constant presence, a benevolent giant.

The CN Tower was one of my first stops as a tourist in 2005. I remember looking down on the city without knowing my future wife and many soon-to-be friends and co-workers were below me. Six years later I found myself looking up at the CN Tower as a historian of Toronto.

"The only place higher that man's ever stood on a stationary base, except for a mountain peak, is the moon," wrote the *Toronto Star*'s Paul King in a pullout section on the day the tower opened.

"On Earth, man can climb no higher in any enclosed structure."

Chris Bateman is an award-winning freelance journalist and public historian.

La Tour CN est l'un des plus importants édifices du Canada. Qu'on l'aime ou qu'on la déteste, la tour de béton de 553 mètres, ouverte au public le 26 juin 1976, est la structure qui définit Toronto et, souvent, le pays. C'est l'édifice qui distingue l'horizon des autres villes du monde, une présence constante, un géant bienveillant.

La Tour CN a été l'un de mes premiers arrêts en tant que touriste, en 2005. Je me souviens d'avoir observé la ville d'en haut, sans savoir que ma future épouse et mes prochains amis et collègues étaient en bas. Six ans plus tard, je me retrouve à regarder la Tour CN en tant qu'historien de Toronto.

« La seule place élevée où l'homme se soit tenu sur une base fixe, à l'exception des sommets de montagnes, est la Lune », a écrit Paul King, du Toronto Star, dans une section détachable, le jour de l'ouverture de la tour.

« Sur la Terre, l'homme ne peut pas monter plus haut dans une structure fermée. »

Chris Bateman est un journaliste pigiste primé et un historien public.

IMAGE | Tom Ryaboi. *CN Tower, top right 160* | *La Tour CN, en haut à droite 160*

107 | CHRISTOPHER ARMSTRONG

Toronto had long planned a grand civic square to the west of the existing city hall on Queen Street. But nothing happened. When I worked in that area in the 1950s it was a jumble of junkyards and car repair shops, but in 1957 municipal voters finally approved an international architectural competition to choose a design for a new building. The transformation was remarkable.

When Toronto's New City Hall opened in 1965, the iconic building designed by Finnish architect Viljo Revell became a symbol for the city. Two curving towers cupping the clam-shaped council chamber sat at the head of a vast new square, reflecting the wish of local leaders to leave behind the city's staid image and show a modern visage with an aspiration to become the metropolitan centre of the nation. Residents still flock to the square for public events, political rallies, and entertainment, making it the heart of Toronto.

Christopher Armstrong is the author of *Civic Symbol: Creating Toronto's New City Hall, 1952–1966.*

La ville de Toronto planifiait depuis longue date une grande place publique à l'ouest de la mairie, sur la rue Queen. Mais rien ne bougeait. Lorsque je travaillais dans ce secteur, dans les années 1950, c'était un fouillis de dépotoirs à ferrailles et d'ateliers de réparation de voitures, mais en 1957, les dirigeants municipaux ont enfin approuvé le lancement d'un concours d'architecture international pour la conception d'un nouvel immeuble. La transformation a été phénoménale.

Lorsque le nouvel hôtel de ville a ouvert ses portes en 1965, l'édifice emblématique dessiné par l'architecte finlandais Viljo Revell est aussitôt devenu un véritable symbole de la Ville reine. Les deux tours courbées ceinturant la « palourde » qui abrite la salle du conseil trônaient maintenant au fond d'une vaste place, concrétisant la volonté des autorités locales de laisser derrière l'image morne de la ville et de montrer un tout nouveau visage pour ce qui deviendrait le centre métropolitain de la nation. Aujourd'hui, les citoyens continuent d'affluer vers la place de la mairie pour assister à des spectacles, des festivités publiques et des rassemblements politiques, faisant de cette esplanade le cœur même de Toronto.

Christopher Armstrong est l'auteur de l'ouvrage *Civic Symbol: Creating Toronto's New City Hall, 1952–1966.*

IMAGE | Sam Javanrouh. *New City Hall, bottom 160* | *Le nouvel hôtel de ville, en bas 160*

108 | OLEKSANDRA BUDNA

After hours of biking and hiking, we finally come to the end of our twelve-kilometre trek, part the bushes, and find ourselves at the edge of a cliff. We are on top of a rock formation known as Sleeping Giant, somewhere around his knees. The rest of his body stretches to the right, his head touching puffy clouds in the distance. He is sleeping, lulled by the cool waters of Lake Superior. As we stand awed by the majestic expanse of the lake, we listen to the wind whispering stories in our ears. Of Ojibwa and Sioux warriors, a secret silver mine, and the Great Spirit, Nanabijou, who turned to stone when the location of the mine was revealed to white men. Of all the people who have called this breathtaking yet harsh land their home. Of the travellers who have come here by land and water to marvel at its beauty. Now our story is part of this melodious refrain.

Oleksandra Budna moved to Ontario from Ukraine thirteen years ago. She travels extensively with her husband and two children.

Après des heures de halètement et de transpiration, nous arrivons enfin à la fin de notre randonnée de 12 kilomètres, ouvrons les buissons, et nous retrouvons au bord d'une falaise. Nous sommes au sommet d'une formation rocheuse appelée le Sleeping Giant, quelque part autour de ses genoux. Le reste de son corps s'étend à droite, sa tête touchant des nuages gonflés, au loin. Il dort, bercé par les eaux fraîches du lac Supérieur. Alors que nous nous tenons bouche bée devant cette étendue majestueuse du lac, nous écoutons le vent, qui chuchote des histoires à nos oreilles, des histoires des guerriers ojibwas et sioux, d'une mine d'argent secrète, et du Grand Esprit, Nanabijou, qui s'est transformé en pierre lorsque l'emplacement de la mine a été révélé aux hommes blancs. Le vent nous parle également de toutes les personnes qui ont appelé ce territoire époustouflant, mais dur, leur port d'attache, de tous les voyageurs qui sont venus ici par voies terrestre et maritime pour s'émerveiller devant sa beauté. Aujourd'hui, notre histoire fait partie de ce refrain mélodieux.

Oleksandra Budna s'est installée en Ontario il y a treize ans, en provenance de l'Ukraine. Elle voyage beaucoup avec son mari et ses deux enfants.

 IMAGE | Oleksandra Budna. *Sleeping Giant Provincial Park, top* | *Parc provincial Sleeping Giant, en haut*

CANADA
NICKEL
5
1751-1951
CENTS

109 | PAUL BERRY

The Big Nickel is one of Sudbury's best-known symbols. It was conceived by visionary Sudbury firefighter Ted Szilva in the 1960s as a centennial project to promote Sudbury's mining history.

The nine-metre high landmark owes its look to another piece of history: a nationwide competition to design the 1951 five-cent piece. Sculptors, painters, cartoonists, artisans, art students, and even those with no connection to art submitted over ten thousand drawings and carvings. The Bank of Canada Museum has three hundred of these submissions. Together they represent a microcosm of Canadian artistic talent from the early postwar years.

The Big Nickel marked its fiftieth anniversary in 2014. It overlooks Sudbury from the grounds of the Dynamic Earth science centre, known internationally for its work in promoting science for all ages. I had the great pleasure to participate in those anniversary festivities. The highlight of my visit was meeting Szilva. It is not often we get to meet the rare individuals who make history.

Paul Berry is the Chief Curator of the Bank of Canada Museum.

Le Big Nickel est un symbole bien connu de Sudbury. Il a été conçu par un pompier de Sudbury, Ted Szilva, au cours des années 1960, en tant que projet du centenaire, pour promouvoir l'histoire de l'exploitation minière à Sudbury.

Le monument de neuf mètres doit son apparence à un autre élément de l'histoire : un concours pancanadien de conception de la pièce de cinq cents de 1951. Des sculpteurs, des peintres, des artisans, des étudiants, entre autres, ont soumis plus de 10 000 dessins et sculptures. Le Musée de la Banque du Canada dispose de 300 de ces soumissions. Elles représentent un microcosme du talent artistique canadien des premières années après la guerre.

Le Big Nickel a marqué son 50e anniversaire en 2014. Il surplombe Sudbury depuis le terrain du centre scientifique Terre dynamique, connu à l'échelle internationale pour ses travaux en matière de promotion de la science pour tous. J'ai eu le plaisir de participer à ces festivités d'anniversaire. Le point saillant de ma visite a été ma rencontre avec M. Szilva. Rares sont les occasions de rencontrer des gens qui font l'histoire.

Paul Berry est le conservateur en chef du Musée de la Banque du Canada.

IMAGE | Christopher Blair. *The Big Nickel, bottom left 165* | *Le Big Nickel, en bas à gauche 165*

110 | JOHANNA ROWE

Ontario's Big Goose.

It's inevitable! When you hear someone say they are from the small Northern Ontario community of Wawa, the immediate response is, "That's the town with the Big Goose."

You have to wonder if Al Turcott, the man behind the twenty-eight-foot-high steel bird had any idea of the success of this tourist magnet. Perched high over the Magpie River Valley near the town's entrance, the beloved Wawa Goose greets travellers from far and wide as they make their way along the winding Trans-Canada Highway. Every year since 1960, thousands of tourists stop to have their photo taken with "Wawa". This iconic roadside attraction has even been captured in musical lyrics (Stompin' Tom Connors's "Little Wawa") and a Hollywood movie (*Snowcake*).

Any traveller driving along the east shore of Lake Superior will be drawn to stop in Wawa and have their picture taken with the Wawa Goose. It's inevitable!

Johanna Rowe is a local historian and author living in Wawa. She feels she is "living the Northern dream life".

La grande oie de l'Ontario.

Elle est inévitable ! Lorsque vous entendez quelqu'un dire qu'ils viennent de la petite communauté de Wawa au nord de l'Ontario, la réaction immédiate est : « C'est la ville avec la grande oie ».

Il faut se demander si Al Turcott, l'homme derrière l'oiseau d'acier d'une hauteur de 28 pieds avait une idée du succès de cet aimant touristique. Perché bien au-dessus de la vallée de la rivière Magpie près de l'entrée de la ville, l'oie Wawa bien-aimée salue les voyageurs de loin qui arrivent le long de la sinueuse route transcanadienne. Chaque année depuis 1960, des milliers de touristes s'arrêtent pour prendre leur photo avec Wawa. Cette attraction emblématique au bord de la route a même été capturée dans des paroles musicales (« Little Wawa » de Stompin' Tom Connors) et dans un film hollywoodien (« Snowcake »).

Tous les voyageurs qui conduisent le long de la rive est du lac Supérieur seront attirés et s'arrêteront à Wawa pour prendre une photo avec l'Oie de Wawa. C'est inévitable !

Johanna Rowe est une historienne et auteure qui vit à Wawa. Elle qualifie sa vie de « vie nordique rêvée ».

IMAGE | let us go photo (Naomi and Mark). *Wawa Goose, bottom right 165 | Oie de Wawa, en bas à droite 165*

THE UNKNOWN SOLDIER
LE SOLDAT INCONNU
ARTHUR C. WADE CD
CORPS OF ROYAL CANADIAN ENGINEERS
ROBERT J.N. MOQUIN
LOGISTICS BRANCH
ANN M. (SMITH) MOQUIN
MEDICAL BRANCH
GRANT F. TURNER CD
ROYAL CANADIAN AIR FORCE
H. M. WOODLAND CD
MILITARY POLICE BRANCH

111 | KRISTEN GAGNON

The National War Memorial, situated within the triangular expanse of Confederation Square, has always been one of my favourite spaces in Ottawa. It is a place where national reflection, urban movement, and municipal activity intermingle, with the bells of the Peace Tower and street vendor aromas politely co-existing.

But on Wednesday, October 22, 2014, it became, if only for a time, a place of deep sorrow. Home to the Tomb of the Unknown Soldier, lying humbly at the base of the towering cenotaph, it is now tragically the site that marks the death of another soldier.

Yet while this civic place and public space came under threat, we are a resilient city, and a resilient country. We will remember Corporal Nathan Cirillo. And I will always be grateful for the sacrifices made for our peace and freedom whenever I look upon the monument's granite slabs, copper figures, and tender tulips.

Kristen Gagnon is originally from Toronto but now calls Ottawa home, where she is pursuing a PhD in architecture at Carleton University.

Le Monument commémoratif de guerre, situé sur le terrain triangulaire de la place de la Confédération, a toujours été l'un de mes endroits favoris à Ottawa. C'est un endroit où la réflexion nationale, le mouvement urbain et l'activité municipale s'entremêlent, les cloches de la Tour de la Paix et les arômes des aliments offerts par les vendeurs ambulants coexistant poliment.

Mais le mercredi 22 octobre 2014, le Monument est devenu, ne serait-ce qu'une fois, un lieu de profonde tristesse. Abritant la tombe du Soldat inconnu, reposant humblement au pied du cénotaphe imposant, il est maintenant tragiquement le lieu qui marque le décès d'un autre soldat.

Pourtant, alors que ce lieu civique et cet espace public ont fait l'objet d'une menace, nous sommes une ville et un pays résilients. Nous nous souviendrons du caporal Nathan Cirillo. Et je serai toujours reconnaissante des sacrifices qui sont faits pour notre paix et notre liberté, chaque fois que je porte mon regard sur les dalles de granite, les figures de cuivre et les tendres tulipes du monument.

Kristen Gagnon, Torontoise d'origine, vit maintenant à Ottawa où elle poursuit des études de doctorat en architecture à l'Université Carleton.

IMAGE | Adam Bunch. *National War Memorial, top left* | *Monument commémoratif de guerre, en haut à gauche*

112 | GRETE HALE

The Beechwood Cemetery was founded in 1873 by Ottawans who bought one hundred and sixty acres of farmland to meet the burial needs of its citizens. I have served on its volunteer board for twenty-five years. In the 1970s, the board went through a challenging leadership battle that resulted in the creation of a charitable foundation to take over the ownership of the cemetery.

Since then, Beechwood has become a national historic site, the national military cemetery, the national memorial cemetery of the RCMP, and — by an act of Parliament in 2009 — Canada's national cemetery. Beechwood is a place of year-round stunning beauty with magnificent trees, hosta walks, and flowers of every kind. As chair emeritus of Beechwood at eighty-seven, I feel blessed to be able to serve, with my fellow directors, the burial needs of all Canadians.

Grete Hale, CM is a businesswoman and volunteer whose devotion over twenty years led to Ottawa's Beechwood Cemetery being designated a national historic site.

Le cimetière de Beechwood a été fondé en 1873 par des citoyens d'Ottawa qui ont acheté 160 acres de terres agricoles pour répondre aux besoins d'inhumation de la population. J'ai servi auprès de son conseil d'administration composé de bénévoles pendant 25 ans. Au cours des années 1970, le conseil d'administration a vécu une bataille difficile pour le leadership qui a mené à la création d'une fondation caritative pour prendre en charge la propriété du cimetière.

Depuis, Beechwood est devenu un lieu historique national, le cimetière militaire national, le cimetière commémoratif national de la GRC et — par voie d'une loi du Parlement adoptée en 2009 — le cimetière national du Canada. Beechwood est un endroit de beauté saisissante à longueur d'année, avec de magnifiques arbres, des allées fleuries d'hostas, et des fleurs de toutes les sortes. À titre de présidente émérite de Beechwood à l'âge de 87 ans, je me sens privilégiée de pouvoir servir, avec mes collègues administrateurs, les besoins en inhumation de tous les Canadiens.

Grete Hale, CM est une femme d'affaires et une bénévole dont le dévouement durant plus de 20 ans a mené à la désignation du cimetière Beechwood d'Ottawa comme site historique national.

IMAGE | Fred Chartrand, CP. *Beechwood Cemetery, top right 168* | *Cimetière de Beechwood, en haut à droite 168*

113 | ROBERT MOFFATT

Opened in 1969 as Ontario's main Canadian centennial project, the Ontario Science Centre is one of the world's first interactive museums of science and technology. It exemplifies the museological shift away from static displays and towards engaging visitors in creative hands-on learning experiences.

Architecturally, I find the Science Centre buildings to be as interesting as what's inside them. To house the Science Centre's innovative program, architect Raymond Moriyama embedded three interconnected pavilions into the spectacular wooded ravine site, their raw, rough-textured concrete seeming to emerge from the earth itself. Inside, innovative "black box" exhibition spaces accommodate a wide range of exhibits and ease their rapid changeover. And while the exhibits celebrate humanity's mastery of science and technology, the buildings' many unexpected and intimate views of land, trees and sky remind us of the ultimate primacy of the natural world.

Robert Moffatt, a marketer for architecture and design firms, documents built heritage in Canada.

Ouvert en 1969, le Centre des sciences de l'Ontario a été le principal projet ontarien du centenaire de la Confédération. C'est l'un des premiers musées interactifs au monde en science et technologie. Il illustre le passage de la muséologie vers une forme d'exposition moins statique qui engage les visiteurs dans des expériences pratiques et créatives.

Sur le plan architectural, le Centre est aussi intéressant à l'extérieur qu'à l'intérieur. L'architecte Raymond Moriyama a intégré trois pavillons interconnectés au pied d'un ravin boisé spectaculaire. Leurs formes, en béton rugueux et texturé, semblent sortir tout droit de la terre. À l'intérieur, des aires d'expositions ingénieuses, appelées « boîtes noires », peuvent accueillir une vaste gamme d'expositions facilement démontables. Et si les expositions visent à célébrer la maîtrise de l'être humain dans le domaine des sciences et de la technologie, les bâtiments, eux, nous offrent sans qu'on s'y attende des points de vue intimes sur la terre, les arbres et le ciel, nous rappelant ainsi la suprématie du monde naturel.

Robert Moffatt, un spécialiste du marketing pour des cabinets d'architecture et de design, documente le patrimoine bâti au Canada.

IMAGE | Vik Pahwa. *Ontario Science Centre, bottom 168* | *Centre des sciences de l'Ontario, en bas 168*

114 | ROBERT BURLEY

I've become fascinated by a new form of urban landscape just beyond my city limits — places both familiar and foreign to me. Unlike most other North American suburbs, I find Toronto's outer fringe — also known as "the 905 region" — anything but boring; to me it's exotic. Defined by expansive spaces recently transformed from farmland into urban sprawl, these municipalities have been reshaped by waves of immigration that have led to the development of new retail spaces, community centres, and faith-based buildings of all kinds. These new landmarks rise out of homogenous tract housing and corporate-built shopping malls, emerging as vibrant hubs for burgeoning and diverse communities of newcomers as well as their second- and third-generation families. The populations who live there seem driven to build new kinds of urban centres where none existed before. One imagines it will be difficult to refer to them as "suburban" in the near future.

Robert Burley is an artist who uses photo-based media to explore history and the built environment.

Je suis fasciné par une nouvelle forme de paysage urbain juste à l'extérieur de ma ville — des lieux qui m'étaient à la fois familiers et inconnus. Contrairement à la plupart des banlieues nord américaines, la périphérie extrême de Toronto (la « région 905 ») m'apparaît être tout sauf ennuyeuse : pour moi, elle est même exotique. Ces municipalités, érigées sur de vastes espaces de terres agricoles, ont été façonnées à coup de vagues d'immigration qui ont entraîné l'érection d'espaces commerciaux, de centres communautaires et d'édifices à vocation religieuse. Ces nouvelles constructions se démarquent des lotissements homogènes et des centres commerciaux génériques, et constituent des carrefours dynamiques pour des collectivités florissantes et diversifiées de nouveaux arrivants et les deuxièmes et troisièmes générations de leurs familles. Les résidents semblent animés par l'envie de construire de nouveaux types de centres urbains, là où il n'y avait rien. Difficile de croire qu'on continuera à appeler ces endroits des « régions suburbaines » encore longtemps.

Robert Burley est un artiste qui utilise les médias photographiques pour explorer l'histoire et l'environnement bâti.

IMAGE | Robert Burley. *Cathedral of the Transfiguration, Markham* | *Cathédrale de la Transfiguration, à Markham*

RUSSELL DAWSON
0.5%
416-560-0006

CANADÁ
CANADA
CANADA

115 | HILARY WESTON

The essence of Georgian Bay was with me before I was sentient, long before I experienced its beauty or was entranced by its call.

Having swum in the wild reaches of the Irish Sea, and ridden horses on the untamed beaches of my homeland, I knew that I had found my place on this continent when I first came to Georgian Bay. Having been born to an island of "terrible beauty" I felt at home, an intense feeling which ultimately inspired me to take up residence on one of Georgian Bay's outer islands. The dichotomy of the island experience is that, whilst it ensures privacy, it also breeds isolation. At the same time, it lures us as humans, yet imbues us with a longing for human interaction and a sense of the "wilderness community".

The only place in the world where my family wishes to be and where we are truly at home together is on our island in Georgian Bay, Ontario.

The Hon. Hilary Weston, CM, CVO, OOnt served as the twenty-sixth Lieutenant Governor of Ontario (1997–2002).

L'essence de la baie Georgienne était en moi bien avant que j'en sois consciente, que j'en découvre la beauté, que je sois envoûtée par son appel.

Ayant nagé dans les eaux sauvages de la mer d'Irlande et parcouru à cheval les plages vierges de ma terre natale, j'ai aussitôt su que j'avais trouvé l'endroit où j'appartenais sur ce nouveau continent dès mon arrivée dans la baie Georgienne. Étant née dans une île d'une « terrible beauté », je me suis sentie chez moi — je savais que je devais m'installer ici, dans une des îles périphériques. La dichotomie de la vie insulaire est que, bien qu'elle soit d'une grande intimité, elle entraîne aussi de l'isolement. Ce genre de vie nous séduit en tant qu'hommes et femmes, mais nous imprègne aussi d'un désir d'interaction humaine et d'un sentiment de « communauté avec la nature ».

La seule place au monde où ma famille veut vivre, où nous nous sentons tous réellement chez nous, ensemble, est dans notre île de la baie Georgienne, en Ontario.

L'honorable Hilary Weston, CM, CVO, OOnt a été la 26e lieutenante-gouverneure de l'Ontario, de 1997 à 2002.

IMAGE | Justin Fabian. *An island in Georgian Bay, top* | *Une île de la baie Georgienne, en haut*

116 | SAAD RAFI

I consider myself extremely fortunate to have grown up in Ontario and Canada!

There were times growing up when that was not the case. Toronto and other cities in the province are home to some of the most diverse populations in the world. But there were many times when people were not at all accepting of those who looked different. Thankfully, for me these acts were isolated. Accepting people emerged and showed why we are the most inclusive place in the world.

As a result, I had the opportunity to learn in one of the best education systems, be coached by wonderful mentors, apply what I learned at work, and enjoy a high quality of life. I have had the privilege to spend my career serving the public. I am convinced that these opportunities would not have been available if I did not come to live in Ontario.

Saad Rafi was the CEO of the TO2015 Pan Am/Parapan Am Games Organizing Committee.

J'estime avoir eu bien de la chance d'avoir grandi en Ontario et au Canada!

Mais il n'en a pas toujours été ainsi. Toronto et d'autres villes de la province abritent certaines des populations les plus diverses du monde. Souvent, il arrivait que les gens n'acceptaient pas les personnes d'apparence différente. Heureusement, dans mon cas, cela ne s'est pas produit souvent. L'acceptation des gens a fait surface et nous a fait comprendre pourquoi nous sommes le lieu le plus inclusif de la planète.

J'ai donc eu l'occasion d'apprendre dans un des meilleurs systèmes d'enseignement au monde, d'être formé par de merveilleux mentors, de mettre mes connaissances en pratique au travail et de profiter d'une grande qualité de vie. J'ai eu le privilège de consacrer ma carrière au service du public. Je suis certain que je n'aurais pu en faire autant si je n'avais pas vécu en Ontario.

Saad Rafi a occupé le poste de directeur général du Comité organisateur des Jeux panaméricains et parapanaméricains tenus à Toronto en 2015.

IMAGE | Toronto Star. *Pan/Parapan Games, bottom 174* | *Jeux parapanaméricains, en bas 174*

150 | Arts and minds
Les arts et les affaires

117 | BRIAN LEVINE

The Glenn Gould Foundation presents Canada's global award for lifetime artistic achievement, the Glenn Gould Prize. My Ontario moment came when we honoured Dr. José Antonio Abreu, founder of El Sistema, the South American program bringing free music education to impoverished youth. We brought the two-hundred-and-fifty-member Simón Bolívar Youth Orchestra to Toronto for a week of performances and educational events. The culminating event was an incredible concert at the Rogers Centre for an audience of over thirteen thousand high school students from across Ontario. They listened to this inspiring but unfamiliar music in silence, engrossed and thrilled, exuding love and respect for our young musical ambassadors from South America. At the end of the performance, the audience erupted in cheers and rushed the stage. It could have been a rock concert! Months of planning and hard work paid off beyond our wildest dreams. This led to the formation of Toronto's own thriving Sistema program. Music unites us all.

Brian Levine is the Executive Director of the Glenn Gould Foundation.

Le Prix Glenn Gould est un prix canadien accordé à des personnes du monde entier pour l'ensemble de leur œuvre artistique. Mon sentiment d'appartenance à l'Ontario a coïncidé avec la remise de ce prix à José Antonio Abreu, fondateur d'El Sistema, un programme sud-américain d'enseignement gratuit de la musique à des jeunes défavorisés. L'orchestre Simón Bolívar, composé de jeunes musiciens, s'est produit à Toronto. Ces jeunes ont présenté des concerts et assisté à des activités éducatives. Le point culminant a été un concert au Centre Rogers, auquel ont assisté plus de 13 000 élèves d'écoles secondaires de l'Ontario. Ces jeunes ont écouté cette musique inspirante qui leur était pourtant étrangère. Ils l'ont fait dans un recueillement empreint d'intensité, d'amour et de respect pour ces jeunes ambassadeurs de la musique. Après la dernière note, les applaudissements ont fusé et le public s'est précipité sur la scène. On aurait dit un concert de rock! Après des mois de planification et de travail ardu, ce projet récoltait un succès allant bien au-delà de nos espérances — tant et si bien que Toronto s'est maintenant doté de son propre programme Sistema, qui est florissant. La musique n'a pas de frontières.

Brian Levine est le directeur général de la Fondation Glenn Gould.

IMAGE | Robert Ragsdale, LAC/BAC, *Glenn Gould at piano, c. 1968* | *Glenn Gould au piano, vers 1968*

118 | MICHAEL MCLUHAN

My father's relentless inquisitiveness drove him to explore all sorts of unique places both physically and intellectually. In the 1950s and early 1960s, he was away most weekends giving lectures. I think he enjoyed his engagement with colleagues as much as the clamour of six children at home.

Returning to Toronto from a year teaching in New York, children gone, my parents found a place of peace among the bustle of the city. In Wychwood Park, overlooking a pond on a large lot, the house was secluded but in the heart of the city he called home. His wanderlust dissipated. He found his place. His home became a Mecca for great minds to visit and congregate. Novelists, composers, artists, historians, scientists, politicians, visionaries of all stripes came to seek him out. Feet up, beer in hand, he continued his explorations. We are all enriched by this legacy.

Michael McLuhan is the youngest of Marshall and Corinne McLuhan's six children. He now calls the Bruce Peninsula home.

L'insatiable curiosité de mon père l'a poussé à explorer, physiquement et intellectuellement, toutes sortes de lieux uniques. Dans les années 1950 et au début des années 1960, il allait donner des conférences pratiquement toutes les fins de semaine. Je pense qu'il aimait sa collaboration avec ses collègues autant que le bruit de ses six enfants à la maison.

De retour à Toronto après une année d'enseignement à New York, les enfants partis, mes parents ont trouvé un endroit paisible dans l'agitation de la ville. Dans Wychwood Park, avec la vue sur un étang et un grand terrain, la maison était isolée, mais au cœur de la ville qui était la leur. L'envie de voyager de mon père se dissipa. Il avait trouvé sa place. Sa maison est devenue un lieu où les grands esprits se donnaient rendez-vous et se rassemblaient. Des romanciers, des compositeurs, des artistes, des historiens, des scientifiques, des politiciens, des visionnaires de tous horizons venaient le retrouver. Les pieds bien installés sur un tabouret, une bière à la main, il poursuivait ses explorations. Nous sommes tous enrichis de cet héritage.

Michael McLuhan est le benjamin des six enfants de Marshall et Corinne McLuhan. La péninsule Bruce est maintenant son « chez-soi ».

IMAGE | John Reeves, LAC/BAC, *Marshall McLuhan, top left* | *en haut à gauche*

YOU'VE
CHANGED

119 | DEEPA MEHTA

As I am an immigrant from India, Canada wasn't home to me for some time. Emotional commitment to another homeland doesn't necessarily happen with a piece of paper. It was when I was making my film *Water*, and had to stop the shoot in India due to backlash, that I felt the need for safety. With my effigy burned and our sets destroyed, and random violence by mobs, safety became a huge issue. And as I cried (with relief) on the flight back to Canada, I realized how Toronto had become that cocoon of security, which made it home. For the first time I equated home with physical safety. I've always said that, if India gives me my stories, Canada gives me the freedom to express them. I am honoured to call myself an Indo-Canadian. What makes Ontario what it is is diversity, open-mindedness, and freedom to express oneself and one's culture without judgement. I am thankful to be part of such a community.

Deepa Mehta, OC, OOnt is a film director and screen writer. Her films include *Midnight's Children* and *Water*.

Pour moi, immigrante indienne, il a fallu un certain temps avant que j'aie le sentiment d'être chez moi au Canada. On ne s'enracine pas dans un pays à la réception de son visa d'immigration. En fait, c'est lorsque j'ai réalisé mon film *Water*, et que j'ai été obligée d'interrompre le tournage en Inde en raison des réactions qu'il provoquait, que j'ai éprouvé le besoin de me sentir en sécurité. Lorsque la foule a brûlé mon effigie, a détruit les décors et s'est livrée à une violence aveugle, la question de la sécurité est devenue capitale. Tandis que je pleurais de soulagement dans l'avion qui me ramenait au Canada, je me suis rendu compte que Toronto était devenue mon havre de sécurité, et donc mon « chez-moi ». Pour la première fois, j'ai associé le mot « maison » et « sécurité physique ». J'ai toujours dit que si l'Inde m'inspire des histoires, c'est le Canada qui me donne la liberté de les raconter. Je suis honorée de m'identifier comme indo-canadienne. Ce qui fait que de l'Ontario ce qu'il est, c'est sa diversité, son ouverture d'esprit, sa liberté d'expression et sa culture du non-jugement. Quand je pense que j'appartiens à cette collectivité, je suis remplie de gratitude.

Deepa Mehta, OC, OOnt est une scénariste et réalisatrice. Parmi ses œuvres cinématographiques figurent *Midnight's Children* et *Water*.

IMAGE | Deepa Mehta Productions. *Deepa Mehta, top right 181 | en haut à droite 181*

120 | ANAR ALI

When I first moved to Toronto from Alberta, I ached for the endless blue of Prairie sky. I felt closed in by the city's concrete skyline. Eventually, I met other exiles — people who, like me, had come to the city from around the country and the world with a dream. Mine was to become a writer. Most of us lived south of Queen Street West so we jokingly dubbed our new posse, SOQU — though years later, the name still endures — and it was over these years that we helped each other turn our dreams into reality. Now, many of us live elsewhere. New Delhi, Los Angeles, London, Mexico. A constellation of cities around the world. But it is still SOQU, still Toronto that tethers us, our North Star in a boundless night sky.

Anar Ali is a writer whose story collection, *Baby Khaki's Wings*, was a finalist for Ontario's Trillium Book Award.

Quand j'ai quitté l'Alberta pour aller vivre à Toronto, j'avais la nostalgie du ciel bleu infini des Prairies. Je me sentais prise au piège par les gratte-ciel qui découpaient l'horizon tels des remparts de béton. Au fil du temps, j'ai rencontré d'autres exilés — des gens qui, comme moi, avaient dû quitter leur région du pays et du monde pour migrer vers la ville et y vivre leur rêve. Le mien était de devenir auteure. La plupart d'entre nous vivaient au sud de la rue Queen Ouest, et, à la blague, nous avions à l'époque surnommé notre groupe le SOQU. Plusieurs années plus tard, le sobriquet subsiste toujours, vestige de cette période où nous nous sommes mutuellement aidés à faire de nos rêves une réalité. Aujourd'hui, beaucoup d'entre nous n'y habitent plus. New Delhi, Los Angeles, Londres, Mexico : une constellation de villes à travers le monde. Et c'est toujours SOQU, toujours Toronto, qui demeure notre port d'attache, notre étoile du Nord qui brille dans un ciel nocturne sans fin.

Anar Ali est une auteure dont le recueil de récits *Baby Khaki's Wings* a été finaliste du concours pour le prix littéraire Trillium de l'Ontario.

IMAGE | Jimmy Limit. *You've Changed, Jesse Harris, 2012, bottom 181 | en bas 181*

121 | CHARLOTTE GRAY

When I landed in Ontario in 1979, I was stunned by my new home's magnitude. Lakes that met the sky. Rivers wider than an eight-lane British motorway. Forests stretching northward forever. The teeth-chattering cold of an Ottawa winter and the melting summer humidity.

It was all so extreme. I found much to love, but I also felt a fierce homesickness for life on a smaller scale.

Then I discovered another British immigrant who had felt the same ambivalence. Susanna Moodie arrived in the 1830s, and went on to write *Roughing It in the Bush*. Like me, she took a while to settle ("how my spirit tires, in the dark prison of [the] boundless woods"). But she gradually put down roots, felt liberated from the restrictive conventions of her motherland, and re-invented herself. Subsequent waves of newcomers, including me, have enjoyed the same freedom. I relish the literary sisterhood across the centuries.

Charlotte Gray, CM is an award-winning Canadian historian and author.

Lorsque j'ai atterri en Ontario en 1979, j'étais étonnée par la magnitude de mon nouveau pays. Des lacs qui rencontraient le ciel. Des rivières plus larges qu'une autoroute britannique à huit voies, des forêts s'étendant vers le Nord à tout jamais. Le froid à faire claquer des dents un jour d'hiver à Ottawa, et l'humidité de la fonte d'été.

C'était tellement extrême. J'ai trouvé beaucoup à aimer, mais j'ai également éprouvé un mal du pays féroce pour la vie à une plus petite échelle.

Puis, j'ai découvert une autre immigrante britannique qui avait ressenti la même ambivalence. Susanna Moodie est arrivée au cours des années 1830, et a entrepris d'écrire *Roughing It in the Bush*. Comme moi, il lui a fallu un certain temps pour s'établir. Mais elle s'est graduellement enracinée, s'est sentie libérée des conventions restreignantes de son pays natal, et s'est réinventée elle-même. Les vagues subséquentes de nouveaux venus, dont moi, ont joui de la même liberté. Je savoure la sororité littéraire à travers les siècles.

Charlotte Gray, CM est une historienne et auteure canadienne primée.

IMAGE | Charles Pachter. *Susanna Moodie (detail), top left* | *Susana Moodie (détail), en haut à gauche*

122 | CHAVIVA HOSEK

I came to Canada when I was six, was raised in Montreal, and spent five years in the United States in graduate school. When I returned to Canada in 1972, I came to Ontario to live in Toronto. This period coincided with the rise of a great public interest in Canadian literature, and it was here in Ontario that I was introduced to the poetry of Margaret Atwood, James Reaney, Dennis Lee, Al Purdy, Raymond Souster, and so many others. Over the years, they and other writers have enriched my understanding of my country and the lives of people with experiences and histories very different from mine.

Chaviva Hosek, OC is the former President and CEO of the Canadian Institute for Advanced Research.

Je suis arrivée au Canada à l'âge de 6 ans, j'ai grandi à Montréal, puis j'ai fait mes études supérieures aux États-Unis, pendant cinq ans. Lorsque je suis revenue au Canada, en 1972, j'ai choisi l'Ontario, et plus particulièrement Toronto. Ces années-là coïncidaient avec un tout nouvel intérêt public pour la littérature canadienne, et c'est ici en Ontario que j'ai découvert la poésie de Margaret Atwood, de James Reaney, de Dennis Lee, d'Al Purdy, de Raymond Souster et de bien d'autres auteurs. Au fil des années, ces écrivains ont approfondi ma compréhension de ce pays et de la vie des gens qui l'habitent, et dont le vécu et le récit diffèrent tant des miens.

Chaviva Hosek, OC est l'ancienne présidente-directrice générale de l'Institut canadien de recherches avancées.

IMAGE | Chris Young, Canadian Press. *Margaret Atwood, top right 184 | en haut à droite 184*

123 | JAMES MISHIBINIJIMA

I was born and raised in Wikwemikong Unceded Indian Reserve on Manitoulin Island. My mother raised twelve children in a two-storey, fifteen-by-eighteen-foot home, my father worked as a lumber man most of his life, coming home once or twice a month.

Our main food sustenance came from the family garden, where everyone took charge cleaning it from weeds or stray animals who might enter it. Our house each winter required fifteen to twenty cords of maplewood depending on the cold.

Stories told in Native culture became a purpose for Mishibinijima only to know that nothing's impossibly hard once your mind is set.

We as Canadians need to set examples and think, "Where did you come from and how can you make it better".

James Mishibinijima is an Ojibway artist whose paintings depict legends passed on by Elders over generations.

Je suis né et j'ai été élevé sur la réserve indienne non cédée de Wikwemikong, sur l'île Manitoulin. Ma mère a élevé douze enfants dans une maison à deux étages de 15 par 18 pieds. Mon père a exercé le métier de plombier presque toute sa vie et venait nous voir une ou deux fois par mois.

Notre nourriture quotidienne, nous la trouvions surtout dans le jardin potager que notre famille entretenait avec soin, y arrachant les mauvaises herbes et y guettant les animaux errants. Chaque hiver, selon la rigueur du climat, il nous fallait 15 à 50 cordes de bois pour nous chauffer.

Les histoires de la culture autochtone dont Mishibinijima ne se lassait pas lui ont permis de comprendre que rien n'est impossible à qui est décidé.

Nous, peuple canadien, nous devons donner l'exemple et nous demander continuellement : « d'où viens-tu et comment peux-tu améliorer les choses ».

James Mishibinijima est un artiste ojibwé dont les tableaux décrivent les légendes que les anciens transmettent de génération en génération.

IMAGE | James Mishibinijima. *Thunder Mountain, Tamarack Harbour, bottom 184 | en bas 184*

124 | SARAH STANNERS

Not all members of the Group of Seven are in the iconic photograph of the Group of Seven at Toronto's Arts and Letters Club. Moving clockwise from the foreground are AY Jackson, FH Varley, Lawren Harris, Barker Fairley (not a member), Frank Johnston, Arthur Lismer, and JEH MacDonald. Franklin Carmichael is missing from the photo.

Something else is missing: women. While the Group actively supported women artists, art back then was a gentleman's pursuit. As a student in 2003, I sat at the same table at the Art Committee at Hart House where Harris sat nearly one hundred years ago. Until 1972, membership was forbidden to women.

Today, I am the Chief Curator of the McMichael Canadian Art Collection in Kleinburg, Ontario. It is heartening to know that the opportunities I have enjoyed as a woman working in the arts in Ontario will be enjoyed by my two daughters, now and into the future.

Sarah Stanners is the Chief Curator of the McMichael Canadian Art Collection and is currently compiling the Jack Bush catalogue raisonné.

Ce ne sont pas tous les membres du Groupe des Sept qui figurent sur la photo emblématique que l'on peut voir au Arts and Letters Club de Toronto. À partir de l'avant-plan, dans le sens horaire, on y aperçoit AY Jackson, FH Varley, Lawren Harris, Barker Fairley (non membre), Frank Johnston, Arthur Lismer et JEH MacDonald. Franklin Carmichael est absent sur la photo.

Il manque cependant autre chose : des femmes. Même si le Groupe des Sept soutenait activement les femmes artistes, l'art était principalement une affaire d'hommes à cette époque. En 2003, en tant qu'étudiante, je me suis assise à la même table du Art Committee, à la Hart House, à l'endroit précis où Harris Sam avait pris place il y a près de 100 ans. Jusqu'en 1972, l'adhésion a été interdite aux femmes.

Aujourd'hui, j'occupe le poste de commissaire en chef de la Collection McMichael d'art canadien à Kleinburg en Ontario. Il est réconfortant de savoir que les occasions dont j'ai pu profiter en tant que femme qui travaille dans le milieu des arts en Ontario se présenteront également à mes deux filles, maintenant comme plus tard.

Sarah Stanners est la conservatrice en chef de la Collection McMichael d'art canadien; elle prépare actuellement le catalogue raisonné de Jack Bush.

IMAGE | AO. *Group of Seven, 1920, top* | APO. *Groupe des Sept, 1920, en haut*

YOUNG WORLD FACES

125 | ROBERT YOUNG

I Am a first-generation Canadian, born and raised in Ontario. Although the culture of Jamaica, through its food, music, and ritual, was passed down to me by my parents, Ontario was the only place I ever heard them call home. I always wondered why they never talked about returning to the Caribbean. What is it about this region that they loved so much? The answer would come to me as an adult as I returned home, after fifteen years living abroad, to capture portraits of women who reside in Ontario but whose families hail from over forty different nations. It was in the midst of this great creative and cultural experiment that I realized the magnetism of a place that chooses to celebrate our differences by embracing them as our common ground.

Ontario is a microcosm of our world. The Ontario that is... is the Ontario I Am.

Robert Young is a raconteur. His aptitude for storytelling is exemplified through his work in literature, film, and photography.

Je SUIS un Canadien de première génération; je suis né et j'ai grandi en Ontario. Bien que mes parents m'aient transmis la culture jamaïcaine — nourriture, musique, rituels —, ils ont toujours parlé de l'Ontario comme de notre chez-nous. Je me suis toujours demandé pourquoi ils n'ont jamais évoqué un retour dans les Caraïbes. Pourquoi aimaient-ils autant cette région? J'ai compris lorsque je suis retourné à la maison après avoir passé 15 ans à l'étranger. J'y ai capté des portraits de femmes qui demeuraient en Ontario et dont les familles provenaient de 40 différents pays. C'est alors que j'ai réalisé, au cours de cette expérience extrêmement créative et culturelle, le magnétisme d'un lieu qui célèbre nos différences en les intégrant dans notre tissu social commun.

L'Ontario est un microcosme de notre monde. L'Ontario est l'Ontario que je SUIS.

Robert Young est un conteur. Ses qualités à ce titre sont d'ailleurs mises en évidence dans les domaines de la littérature, du cinéma et de la photographie.

 IMAGE | Courtesy R Young. *Portrait, bottom left 189* | *Gracieuseté de R Young. Portrait, en bas à gauche 189*

Chanie.

Fifty years to the day after an Ojibwe boy named Chanie Wenjack died of exposure by some railroad tracks, some friends and I released our projects in order to honour him.

Gord Downie's is *The Secret Path*, a spare and gorgeous album accompanied by Jeff Lemire's graphic novel. I released *Wenjack*, a fictionalized account of Chanie's last days as he struggles through frigid Northern Ontario to get home after fleeing his abusive residential school. Poor Chanie didn't know that home was six hundred kilometres away.

We did this, in part, to honour the thousands of Ontario children who were forcefully taken from their homes and families and culture over the course of seven generations. And now, as Ontario and the rest of the country peers into our next one hundred and fifty years, our next seven generations, we hope that the name Chanie lives on in testimony to our province and country finding reconciliation.

Joseph Boyden, CM is a writer, teacher, and the award-winning author of *Three Day Road*, *Through Black Spruce*, and *The Orenda*.

Chanie.

Cinquante ans, jour pour jour, après qu'un garçon ojibwa nommé Chanie Wenjack est mort de froid près d'une voie ferroviaire, certains amis et moi-même avons communiqué nos projets pour l'honorer.

The Secret Path de Gord Downie est un album sobre et fabuleux, accompagné d'un récit illustré par Jeff Lemire. J'ai publié *Wenjack*, un récit fictif des derniers jours de Chanie alors qu'il se débattait dans le nord glacial de l'Ontario, pour retourner chez lui après avoir fui son pensionnat abusif. Le pauvre Chanie ne savait pas que sa maison était à 600 kilomètres de distance.

Nous avons fait ceci en partie pour honorer les milliers d'enfants ontariens qui ont été retirés de force de leurs demeures, de leurs familles et de leur culture au cours de sept générations. Et maintenant, comme l'Ontario et le reste du pays scrutent l'avenir pour les 150 prochaines années, ou les sept prochaines générations, nous espérons que le nom de Chanie perdure en témoignage de la réconciliation avec la province et le pays.

Joseph Boyden, CM est un auteur primé pour ses romans *Three Day Road*, *Through Black Spruce* et *The Orenda*, qui se consacre aussi à l'enseignement.

IMAGE | Pearl (Wenjack) Achneepineskum. *Chanie, bottom right 189 | en bas à droite 189*

127 | NALINI STEWART

My life in Ontario has been shaped by its writers starting with Margaret Atwood's *The Edible Woman*. I met Alice Munro when I was chair of the Writers' Trust and she recounted a wonderful tale of liberal women and their conservative husbands in Clinton, Ontario. The women told their husbands that their combined votes would cancel each other, so why bother to vote? As their husbands retired to play poker, the women quietly went off and added their votes to the liberal rosters. One up for female ingenuity. And what about Marian Engel's story of a librarian's love affair with a bear in Northern Ontario? Can that happen anywhere else? I was enchanted by these writers and those following like Michael Ondaatje with *Running in the Family* and Rohinton Mistry with *A Fine Balance*. Ontario embraces new voices and gives writers the confidence to tell their authentic stories. From Atwood and Munro to the social commentary of Malcolm Gladwell, Ontario writers lift my spirits every day.

Nalini Stewart, OOnt, OMC has held leadership positions with several arts and education organizations in Canada.

Les écrivains de l'Ontario ont façonné ma vie ici, en commençant par Margaret Atwood avec son livre *La femme comestible*. Quand j'étais présidente du Writers's Trust, j'ai rencontré Alice Munro. Elle m'a raconté l'histoire merveilleuse de femmes libérales et de leurs époux conservateurs à Clinton. Ces femmes avaient dit à leur mari que si elles votaient, ensemble, leurs votes se trouveraient à s'annuler. Pourquoi donc se donner la peine de voter? Pendant que les hommes jouaient au poker, les femmes sont sorties doucement, et sont allées voter pour les libéraux. Voilà l'ingéniosité de la femme à son meilleur. Et que dire de l'histoire de Marian Engel, racontant la liaison amoureuse d'une bibliothécaire avec un ours dans le nord de l'Ontario? Est-ce que cela peut se faire ailleurs? Ces écrivains m'ont enchantée, tout comme des auteurs comme Michael Ondaatje avec son livre *Un air de famille* et Rohinton Michael avec *L'équilibre du monde*. L'Ontario accueille de nouvelles voix et donne aux écrivains la confiance nécessaire pour raconter leurs vraies histoires. De Margaret Atwood à Alice Munro, en passant par le commentaire social de Malcolm Gladwell, les écrivains de l'Ontario me mettent de bonne humeur à tout coup.

Nalini Stewart, OOnt, OMC a occupé des postes de direction auprès de plusieurs organisations du domaine de arts et de l'éducation au Canada.

IMAGE | *Main Street, Clinton, Ontario, top left* | *Rue principale, Clinton (Ontario), en haut à gauche*

128 | RITA DAVIES

In 1953, my family arrived in Canada at Pier 21 in Halifax as stateless refugees. Two days later we got off the train at Union Station. I was born in Shanghai. My mother was Russian, my father Iraqi. I wondered for many years what that made me. I lived here, but was this my home?

The answer came in 1971 when I was acting in David Tipe's Cabbagetown Plays at Tarragon Theatre, a new company that, along with others at the time, pioneered the work of homegrown playwrights. The trilogy told the stories of people who had grown up in Toronto's Cabbagetown. The play made me realize that my adopted city was full of fascinating and evolving stories, that I was not alone in my search for identity, and that even those born here searched for meaning and a sense of belonging. My long journey was over. I had found my home.

Rita Davies is the Chair of the Ontario Arts Council. For thirteen years she served as the Executive Director of Toronto Culture.

En 1953, ma famille et moi sommes arrivés au Canada, au Quai 21 à Halifax, en tant que réfugiés apatrides. Deux jours plus tard, nous sommes descendus du train à la gare Union. Je suis née à Shanghai. Ma mère était russe, mon père irakien. Pendant plusieurs années, je me suis demandé ce qui avait fait de moi ce que j'étais. J'habitais ici, mais était-ce chez moi ?

La réponse m'est venue en 1971, lorsque je jouais dans des pièces de David Tipe intitulées Cabbagetown Plays au théâtre Tarragon, une nouvelle compagnie théâtrale qui, comme bien d'autres à l'époque, faisait figure de pionnier en jouant les pièces de dramaturges locaux. Cette trilogie racontait l'histoire de gens qui avaient grandi dans le quartier Cabbagetown de Toronto. Cette œuvre m'a fait comprendre que ma ville d'adoption regorgeait d'histoires fascinantes et était en constante évolution, que je n'étais pas seule dans ma quête d'identité, et que même ceux qui étaient nés ici étaient en recherche de sens et d'un sentiment d'appartenance. Mon long voyage prit fin : j'étais arrivée chez moi.

Rita Davies est la présidente du Conseil des arts de l'Ontario. Elle a occupé les fonctions de directrice générale de la Division de la culture de la Ville de Toronto durant treize ans.

IMAGE | Rita Davies. *Child on right, top right 192* | *L'enfant de droite, en haut à droite 192*

129 | DOUGLAS GIBSON

I came to Canada in 1967, a Scottish immigrant with two degrees, few friends, and no money. For months I unrolled my sleeping bag on couches, even after I got my first job in Hamilton. Then in March 1968 I entered the world of book publishing.

This was an amazingly lucky piece of timing. The year 1967 and its attendant celebrations had inspired Canadians to do more of everything, to bring the world more Canada. Eager publishing companies sprang up. Authors suddenly appeared, so many that the Canadian Writers' Union was soon formed. It was the birth of Canadian writing as a movement, and I was fortunate to be in the middle of it, helping to bring out new books by old pioneers like Hugh MacLennan, Morley Callaghan, and Robertson Davies, and eventually newer voices like Margaret Laurence, Margaret Atwood, Alistair MacLeod, and Alice Munro. The world was soon taking notice.

Douglas Gibson spent his life as a book editor and publisher before becoming an author and stage performer.

Je suis arrivé au Canada en 1967, immigrant écossais, titulaire de deux diplômes, ayant peu d'amis et pas d'argent. Pendant des mois, j'ai déroulé mon sac de couchage sur des divans, même après avoir décroché mon premier emploi, à Hamilton. Puis, en mars 1968, je suis entré dans le monde de l'édition.

C'était là un choix du moment extraordinairement chanceux. L'année 1967 et ses célébrations afférentes avaient inspiré les Canadiens à faire plus de tout, pour offrir au monde davantage de Canada. Des maisons d'édition enthousiastes ont surgi. Des auteurs sont subitement apparus, tellement qu'un syndicat des écrivains, le Writers Union of Canada, a bientôt été formé. C'était la naissance de la littérature canadienne en tant que mouvement, et j'ai eu la chance d'en faire partie, aidant à publier de nouveaux ouvrages de vieux pionniers comme Hugh MacLennan, Morley Callaghan, Robertson Davies et, en fin de compte, des voix plus nouvelles, comme Margaret Laurence, Margaret Atwood, Alistair MacLeod et Alice Munro. Le monde a rapidement pris bonne note.

Douglas Gibson a eu une longue carrière en tant qu'éditeur de livres avant de devenir un auteur et artiste de la scène.

IMAGE | George Waldman. *Alice Munro, bottom 192 | en bas 192*

130 | VERONICA TENNANT

What ONTARIO means to me? Age 9, my story begins,
winter-crossing the Atlantic. Sea-sick! Lake Ontario stretched bleak
And yet, ballet lessons resumed, within one week.
Spring! discovering seasons of myriad shades,
glades of sumacs and maples, waves of rocks butting pines.
Citizenship in Centennial year! Canadian ballet acclaimed to be without peer.
Baryshnikov defects. Ontario Place fills, 12,000 people pack into the hills.
Pioneer surgery triumphant — not costing thousands, in medical bills.
I can dance again! And delight in our baby — tapping sap in Spring, powwows in Fall.
Countless visits to Niagara, never cease to enthrall.
Filmmaking — CBC — jubilant spreading of wings
exploring heritages culture-woven, by those who write, dance, paint, make music and sing
in a thousand tongues, celebrating infinite threads, expressing — what ONTARIO means.

Veronica Tennant, CC is a filmmaker, author, and former prima ballerina with the National Ballet of Canada.

L'ONTARIO pour moi?
Traversée de l'Atlantique en février à neuf ans et mal de mer!
Lac Ontario maussade.
Mais, cours de ballet en moins d'une semaine.
Le printemps! Couleurs éclatantes, clairières, sumacs, érables et pins jaillissant des rochers.
Citoyenneté canadienne en l'année du centenaire.
Ballet classique à son meilleur.
Défection de Baryshnikov. Place Ontario déborde : 12 000 personnes
Chirurgie de pointe, sans frais médicaux faramineux.
Retour à la danse! Émerveillement avec petit à la cabane à sucre et au pow-wow automnal.
Visites récurrentes à Niagara. Réalisation de films, CBC, joie exubérante!
Exploration des patrimoines et des cultures des écrivains, des danseurs, des peintres, des musiciens dans un millier de langues; conversations infinies sur ce que représente l'ONTARIO.

Veronica Tennant, CC, ancienne danseuse étoile du Ballet national du Canada,
se consacre à la réalisation cinématographique et à l'écriture.

IMAGE | Courtesy V. Tennant. *With Baryshnikov, Ontario Place* | Accompagnée de *Baryshnikov, à Place Ontario*

131 | DAVID DANIELS

I have just completed a busy day... first meeting a client about a new, net-zero building project, then learning about legendary Canadian painter Tom Thomson, and finally attending the Regent Park Film Festival which focuses exclusively on stories of diverse, emerging communities. This day is "Ontario" to me: a story of the past, the energy and ambition of the present, for the best of all possible worlds in the future. I have many days like this.

I left Ontario for twenty years and in 2017 will have been back another twenty. Now more than ever, Ontarians recognize that the road is a long one with many distractions along the way, so we strive to work hard for each other, not just for some at the expense of others. This is not the case so much of the world over. But it is here in Ontario.

David Daniels is a real estate developer with a passion for philanthropy, grassroots arts, and education.

Je viens juste de terminer une journée occupée... rencontrant d'abord un client pour discuter d'un projet de nouvel immeuble à bilan net zéro, pour prendre ensuite connaissance du peintre canadien légendaire Tom Thomson et, enfin, assister au Festival du film du parc Regent, axé exclusivement sur les histoires de collectivités naissantes diverses. Aujourd'hui est « l'Ontario » pour moi : une histoire du passé, l'énergie et l'ambition du présent, pour le meilleur de tous les mondes possibles à l'avenir. J'ai beaucoup de journées comme cela.

J'ai quitté l'Ontario pour une période de 20 ans et, en 2017, j'aurai été de retour pendant une autre période de 20 ans. Aujourd'hui plus que jamais, les Ontariens reconnaissent que la route est longue et qu'il y a de nombreuses distractions tout au long, et nous nous efforçons donc de travailler dur les uns pour les autres, non pas seulement pour certains au détriment d'autres. Ce n'est pas tellement le cas dans le monde, mais ce l'est ici, en Ontario.

David Daniels est un promoteur immobilier animé d'une passion pour la philanthropie, les arts communautaires et l'éducation.

IMAGE | Dan Tahmizian. *Regent Park, top left 196* | *Parc Regent, en bas à gauche 196*

132 | PETER HERRNDORF

In the spring of 2015, the National Arts Centre hosted Ontario Scene, a national celebration of the most exciting emerging and established artists in the province. With six hundred and fifty artists — musicians, dancers, writers, visual artists, filmmakers, chefs, and more — the diversity of voices was astounding. Here was *Post Eden*, a dazzling play by Jordan Tannahill, a Governor General's Literary Award winner and twenty-seven years young. On opening night I was mesmerized by Evelyn Hart, now in a later stage of her career, as she danced at *Intermezzi*, an Art of Time project with choreographers James Kudelka and Peggy Baker. And I was moved by *Declaration*, an immersive installation and performance work created by Andy Moro and Tara Beagan with leading Indigenous artists like Monique Mojica and Santee Smith. All through the festival I remember thinking how brilliantly these artists were telling our story. How fortunate we are that they call Ontario home.

Peter Herrndorf, OC, OOnt is the President and CEO of the National Arts Centre.

Au printemps de 2015, le Centre national des Arts a accueilli Scène Ontario, une célébration nationale des artistes, nouveaux et établis, les plus excitants de la province. Avec 650 artistes — musiciens, danseurs, écrivains, artistes du visuel, cinématographes, chefs et plus — , la diversité des voix était retentissante. Il y avait notamment *Post Eden*, une prestation éblouissante de Jordan Tannahill, lauréat du prix littéraire du gouverneur général, et jeune de 27 ans. Le soir de l'ouverture, j'ai été envoûté par Evelyn Hart, aujourd'hui à une étape postérieure de sa carrière, alors qu'elle dansait à *Intermezzi*, un projet d'Art of Time, avec les chorégraphes James Kudelka et Peggy Baker. Et j'ai été ému par *Declaration*, un ouvrage d'installation et de performance immersif créé par Andy Moro et Tara Beagan, avec des artistes autochtones de renom, comme Monique Mojica et Santee Smith. Je me souviens d'avoir pensé, tout au long du festival, à quel point ces artistes racontaient notre histoire avec brio. Comme nous sommes chanceux qu'ils appellent l'Ontario leur domicile.

Peter Herrndorf, OC, OOnt est le président-directeur général du Centre national des Arts.

IMAGE | Andy Moro, Article 11. *Declaration, top right 198* | *Déclaration, en haut à droite 198*

133 | MARIBA DOUGLAS

Growing up as a first-generation Canadian in Ontario called for moments of cultural orientation, analyzing space, and learning to navigate the seeming unboundedness of my identity. I yearned for opportunities that would help me make sense of my world while continuing to broaden my experiences. Through DAREarts, a Canadian charity that helps youth realize their potential as leaders through the arts, I was exposed to how we can use our environments as tools to begin to respectfully engage with individuals and their customs and histories from many cultures, together finding our place in Ontario. DAREarts continues to empower youth to be curious, to think critically about values, and to challenge themselves in positive ways. As a young woman of the Caribbean diaspora, I consistently consider the teachings of history, creativity, and connectivity from this impactful program to articulate my unique self while encouraging others to do the same.

Mariba Douglas is an undergraduate student at the University of Toronto who has volunteered as a Youth Program Advisor in Jamaica.

Grandir en tant que Canadienne de première génération en Ontario a suscité des moments d'orientation culturelle, d'analyse de l'espace, et de compréhension de mon identité, apparemment sans limites. J'aspirais à des possibilités qui m'aideraient à trouver un sens au monde tout en continuant d'élargir mes expériences. Par l'intermédiaire de DAREarts, un organisme caritatif canadien qui aide les jeunes à réaliser leur potentiel de leader par les arts, j'ai pris connaissance de la façon dont nous pouvons utiliser nos environnements comme outils pour commencer à nous engager respectueusement avec des personnes et leurs coutumes et histoires, provenant de nombreuses cultures, trouvant ensemble notre place en Ontario. DAREarts continue d'habiliter les jeunes à être curieux, à réfléchir de façon critique au sujet des valeurs, et à se remettre en question eux-mêmes de façons positives. En tant que jeune femme de la diaspora caribéenne, je considère continuellement que les enseignements de l'histoire, la créativité et la connectivité découlant de ce programme percutant articulent mon moi unique tout en encourageant d'autres à faire pareillement.

Mariba Douglas est une étudiante de premier cycle à l'Université de Toronto qui a été conseillère bénévole de programmes pour la jeunesse en Jamaïque.

IMAGE | Alan Dunlop. *DAREarts participants, bottom 198* | *Participants à DAREarts, en bas 198*

134 | LAYNE HINTON AND RUI PIMENTA

The presentation of in/future on the west island of Ontario Place was a very special experience for Art Spin. What started as an exciting and unique opportunity to reanimate this venue through art- and music-based programming turned into an exercise whereby we grew to feel a deep sense of stewardship for this iconic yet underutilized space. As our various artists and creative partners began to install their projects and slowly transform the space, and when the festival eventually opened to its many eager and curious visitors, we found ourselves overcome with an increasing sense of purpose, or at the very least that we were part of an important conversation that might in some way inspire the future direction of this venue, showing how art programming could be a viable and vital way to reconnect Ontario Place with a general public that was clearly longing for such a connection.

Layne Hinton and Rui Pimenta use arts programming to activate unique spaces.

La présentation de l'exposition in/future de la partie ouest de l'île à Place Ontario a été une expérience très spéciale pour Art Spin. Ce qui tout d'abord était une occasion unique et stimulante de ranimer cet endroit grâce à des programmes artistiques et musicaux, s'est transformé en expérience où nous nous sommes sentis responsables de cet endroit formidable, mais sous-utilisé. À mesure que les divers artistes et partenaires de la création installaient leurs projets et transformaient lentement le lieu, et lorsque le festival a finalement ouvert ses portes à ses nombreux visiteurs curieux et impatients, nous nous sommes sentis investis d'une mission, ou du moins nous avions l'impression de faire partie d'un projet qui pourrait en quelque sorte inspirer l'orientation future de ce lieu, en montrant comment les activités artistiques peuvent être un moyen vital et rentable de rapprocher Place Ontario de la population, un rapprochement longtemps souhaité.

Layne Hinton et Rui Pimenta utilisent la programmation artistique pour animer des espaces uniques.

IMAGE | Andrew Williamson. *in/future installations, Ontario Place* | *Installations d'in/future, à Place Ontario*

135 | SARA DIAMOND

Toronto, the city that adopted my New Yorker family in the early 1960s, was ostensibly staid. Except it wasn't. The Toronto School, epicentre of media and environmental theory, was here. My friends and I, helped by radical school administrators and parents, launched SEED, Ontario's first "free school". ROM curator Walter Kenyon was allied respectfully with the Huron-Wendat and the Neutral. The Ontario College of Art birthed Toronto's "New Wave" (Martha and The Muffins), performance art (The Clichettes), Photo-Electric Arts (Michael Snow, Simone Jones), creative robotics (Norman White, Doug Back), design strategy (Don Watt), Design for the Environment (Bruce Mau), nuanced by a penchant for social justice. Diverse voices such as artists Richard Fung and Rikrit Tiravanija, designer Karim Rashid, and Indigenous creators Thomas Hill, Rebecca Belmore, and Terrance Houle embraced experimentation. Learning, invention, and collaboration are a trifecta in Ontario, combined with courage, diversity, and empathy—watchwords to apply to Big Data and Artificial Intelligence discovery. Gives a person hope.

Sara Diamond, OOnt is the President and Vice-Chancellor of OCAD University.

Toronto, ville d'adoption de ma famille new-yorkaise au début des années 1960, était statique. En fait, pas vraiment. Le Toronto School, épicentre de la théorie médiatique et environnementale, était ici. Mes amis et moi, aidés par des administrateurs scolaires radicaux et mes parents, avons lancé SEED, la première « école libre » de l'Ontario. L'École d'art et de design de l'Ontario a donné naissance à « New Wave » de Toronto (Martha and The Muffins), aux arts du spectacle (The Clichettes), aux arts photoélectriques (Michael Snow, Simone Jones) et à la robotique créative (Norman White, Doug Back), à la stratégie de conception (Don Watt) et à la conception pour l'environnement (Bruce Mau). Diverses voix ont adopté l'expérimentation, notamment les artistes Richard Fung et Rikrit Tiravanija, le concepteur Karim Rashid et les créateurs autochtones Thomas Hill, Rebecca Belmore et Terrance Houle. L'apprentissage, l'innovation et la collaboration sont un tiercé en Ontario, combinés au courage, à la diversité et à l'empathie—des consignes à appliquer au monde d'aujourd'hui et pour nourrir l'espoir.

Sara Diamond, OOnt est la présidente et vice-rectrice de l'Université de l'École d'art et de design de l'Ontario.

 IMAGE | Michel Lambeth, 1964, LAC / BAC. *Snow's Walking Woman, top* | *Walking Woman de Snow, en haut*

136 | ANNA PORTER

Though it was the middle of winter,
I fell in love with Toronto when I arrived from the UK in 1968, but it was not for a couple of years that I knew, for sure, that I wanted to live here for the rest of my life. I became Canadian through reading and working with writers. They were an engaging, fascinating, brilliant, and perceptive lot, and I was fortunate to have the opportunity to get to know them. There was Farley Mowat, Basil Johnston, Al Purdy, George Jonas, Charles Templeton, Dalton Camp, Pierre Berton, Irving Layton, Margaret Laurence, Matt Cohen, Margaret Atwood, for a little while, Leonard Cohen, and many, many more. Could anyone wish for a better way to learn about a country?

Anna Porter, OC, OOnt is an award-winning novelist and publisher.

Partie du Royaume-Uni en 1968, je suis arrivée à Toronto en plein cœur de l'hiver et suis tout de suite tombée amoureuse de la ville. J'ai su alors que je n'y vivrais pas seulement quelques années, mais toute la vie. Mon sentiment d'appartenance au Canada, je l'ai acquis au fil de mes lectures et de mon travail avec des écrivains. C'était des gens stimulants, fascinants, brillants et perspicaces, et j'ai été privilégiée d'avoir pu faire leur connaissance. Ces gens, c'était Farley Mowat, Basil Johnston, Al Purdy, George Jonas, Charles Templeton, Dalton Camp, Pierre Berton, Irving Layton, Margaret Laurence, Matt Cohen, Margaret Atwood, pendant un court instant, Leonard Cohen et beaucoup, beaucoup d'autres. Peut-on espérer meilleure façon de découvrir un pays?

Anna Porter, OC, OOnt est une romancière et éditrice primée.

IMAGE | John Reeves, 1965. *Al Purdy, bottom 205 | en bas 205*

150

Ontario in the world
L'Ontario et le monde

137 | ARMINE YALNIZYAN

Why does Ontario matter, in a world squealing with global tensions and careening between thickening borders and borderlessness? All human endeavour is a story, and every story has a face, a race, and a place. We, the human species, are pack animals, constantly comparing ourselves to one another, constantly seeking champions. Over the last one hundred and fifty years Ontario has been evolving towards the peaceable kingdom, the United Nations in action. Around the world, Canada's achievements are viewed with admiration. Looming large in these accomplishments is Ontario's record. Fifty years ago we sang "a place to stand, a place to grow". Today we are a place to lead toward social, economic, and environmental justice. The world is looking for stories that shine light on ways to advance inclusive, sustainable growth. Ontario's example could provide a much-needed beacon of progress in the twenty-first century. Ontario could matter a lot, if we choose.

Armine Yalnizyan is the Senior Economist at the Canadian Centre for Policy Alternatives.

Pourquoi l'Ontario est-elle importante dans un monde où les tensions mondiales et les dangers de toutes sortes nous menacent, où il y a à la fois des territoires qui abolissent leurs frontières et d'autres qui souhaitent, au contraire, fortifier les leurs? Toute entreprise humaine constitue une histoire, et chaque histoire a un visage, une race, un endroit qui la définit. Nous, de l'espèce humaine, sommes parfois comme des moutons, qui se comparent aux autres et valorisent les champions. Les 150 dernières années ont vu l'Ontario se transformer pour devenir un havre de paix, les Nations Unies en action. Le monde entier admire les réalisations du Canada. Et au palmarès de ces réalisations figurent celles de l'Ontario. Il y a 50 ans, nous chantions « un lieu où vivre, un lieu où s'épanouir ». Aujourd'hui, nous aspirons à la justice sociale, économique et environnementale. Le monde recherche des histoires qui mettent en valeur des façons de favoriser la croissance durable et inclusive. L'exemple de l'Ontario pourrait servir de pierre angulaire, véritable assise du progrès du XXIe siècle. L'Ontario pourrait être très importante, si nous voulons qu'elle le soit.

Armine Yalnizyan est l'économiste principale du Centre canadien des politiques alternatives.

IMAGE | LAC/BAC. *Ontario Pavilion, Expo 67* | *Pavillon de l'Ontario à l'Expo 67*

GLOBALME

138 | HUGH SEGAL

When I was a senator from Ontario, I visited the Canadian Forces serving NATO in Afghanistan. One event touched me deeply. At a forward operating base deep in Peshawar District, I noticed a three-story birthday cake shaped building some two hundred and fifty metres outside the "wire". It flew the flag of Afghanistan. A Canadian armoured personnel vehicle was stationed in the yard.

"What is that building?" I asked the young female Canadian officer accompanying us.

"Well, Senator, before we cleared the enemy out of here, it was the Taliban HQ for the region. Sharia law, prisons, some torture, especially for teachers. Not a happy place."

"What is it now?" I asked.

"Senator, it is a girls' school, under the protection of the Canadian Forces, sir!"

It was not Vimy or Juno Beach. But it was an important expression of Canadians at our modest, unassuming best. A small ray of light defended by Canadian Forces in a very difficult part of the world.

The Hon. Hugh Segal, OC, OOnt is an author, a political commentator, and the Master of Massey College.

Alors que j'étais sénateur en Ontario, j'ai visité les Forces canadiennes qui servaient l'OTAN en Afghanistan. Sur une base d'opérations située au cœur du district de Peshawar, j'ai remarqué un immeuble de trois étages en forme de gâteau de fête. Il arborait le drapeau de l'Afghanistan. Un véhicule de transport de troupes blindé canadien était garé dans la cour.

J'ai demandé à la jeune officière canadienne qui nous accompagnait ce qu'était cet immeuble.

« Eh bien, sénateur, avant que nous en chassions l'ennemi, c'était le quartier général des talibans dans la région, où régnaient la charia, l'emprisonnement et la torture. Un endroit loin d'être agréable », a-t-elle répondu.

« À quoi sert il maintenant? », ai je demandé. « C'est une école pour filles, sous la protection des Forces canadiennes! »

Ce n'était pas Vimy ni la plage Juno, mais une importante représentation des Canadiens à leur meilleur, en toute modestie. Un petit rayon de lumière défendu par les Forces canadiennes dans une région très difficile du monde.

L'honorable Hugh Segal, OC, OOnt est un auteur et commentateur politique; il occupe les fonctions de directeur du Collège Massey.

IMAGE | Corporal David Cribb, DND. *top* | *en haut*

139 | RAHUL SINGH

I live and work in Toronto, Ontario. It is such a diverse city in a diverse province filled with prosperity, stability, and hope. The people are what make it so spectacular.

Some of these spectacular people staff GlobalMedic's Rapid Response Teams. Professional rescuers, including paramedics, police officers, firefighters, doctors, and nurses volunteer their time and skill sets. Together, our agency has run one hundred and seventy-six missions in sixty countries helping those devastated by disaster.

Our teams treat patients, set up field hospitals, purify water so children don't get sick, rebuild homes, fly drones with cameras to gather imagery and better understand the extent of the crisis, and use our search and rescue dogs and ground penetrating radar systems to find survivors buried under the rubble.

Every day at home, our people save lives while answering 911 calls. When they deploy abroad they bring the best of Ontario with them and deliver hope.

Rahul Singh, OOnt is the Founder and Executive Director of GlobalMedic.

Je vis à Toronto, en Ontario. C'est une ville très diversifiée, empreinte de prospérité, de stabilité et d'espoir. Ce sont les gens qui la rendent si spectaculaire.

Par exemple, des gens faisant partie des équipes d'intervention rapide de Global-Medic. Des sauveteurs professionnels, notamment des ambulanciers paramédicaux, des policiers, des pompiers, des médecins et des infirmières, offrent bénévolement leur temps. Les membres de notre organisme ont effectué 176 missions dans 60 pays afin d'y aider les victimes de catastrophe.

Nos équipes traitent des patients en plus d'installer des hôpitaux de campagne, de purifier l'eau afin que les enfants ne tombent pas malades, de reconstruire des maisons, d'utiliser des drones pour recueillir des images et mieux comprendre l'étendue de la crise et d'avoir recours à nos chiens de recherche et de sauvetage ainsi qu'à des systèmes géoradar pour retrouver des survivants ensevelis sous les décombres.

Tous les jours, nos membres sauvent des vies en répondant aux appels 911. Lorsqu'ils sont déployés à l'étranger, ils apportent ce que l'Ontario a de meilleur.

Rahul Singh, OOnt est le fondateur et directeur général de la société GlobalMedic.

IMAGE | GlobalMedic. *Bottom left 210 | en bas à gauche 210*

140 | GAVIN ARMSTRONG

During my undergraduate studies, I completed a field course in Botswana and an internship in Kenya's Dadaab refugee camps, which opened my eyes to the realities of global poverty and malnutrition. I marvelled at the staff's abilities and fortitude, but became dissatisfied with philanthropy. Simply giving people food and shelter did not address root causes. There had to be a better way.

Returning to Canada, I came across an opportunity to commercialize a health innovation from the University of Guelph. It is called the Lucky Iron Fish, a simple tool to improve the lives of the 3.5 billion people who suffer from iron deficiency around the world.

I took the plunge and eagerly worked to launch our for-profit operations infused with social good. Today, we've sold over 70,000 units and donated another 70,000. Our goal is to provide this Ontario innovation to one million families all over the world by 2020. Together, we can put a fish in every pot.

Gavin Armstrong is the President and CEO of Lucky Iron Fish (luckyironfish.com).

Durant mes études, j'ai suivi un cours sur le terrain au Botswana et effectué un stage dans un camp de réfugiés de Dadaab au Kenya, deux expériences qui m'ont conscientisé à la réalité de la pauvreté mondiale et de la malnutrition. J'ai été émerveillé par les compétences et la détermination du personnel, mais j'ai perdu mes illusions sur la philanthropie. Fournir uniquement de la nourriture et un abri aux gens ne permet pas de résoudre le problème à la source. Il devait y avoir une meilleure façon d'y remédier.

À mon retour au Canada, j'ai pu commercialiser une découverte faite par l'Université de Guelph. Il s'agit du Lucky Iron Fish, un tout petit poisson qui permet d'améliorer la vie de 3,5 milliards de personnes partout dans le monde qui souffrent de carences en fer.

J'ai fait le saut et j'ai lancé une entreprise à but lucratif et à vocation humanitaire. Nous avons vendu plus de 70 000 unités et fait don de 70 000 autres. Notre objectif est de fournir notre produit novateur à un million de familles partout dans le monde d'ici 2020. Ensemble, nous pouvons mettre un petit poisson dans chaque marmite.

Gavin Armstrong est le président-directeur général de Lucky Iron Fish (luckyironfish.com).

IMAGE | Lucky Iron Fish. *Bottom right 210 | en bas à droite 210*

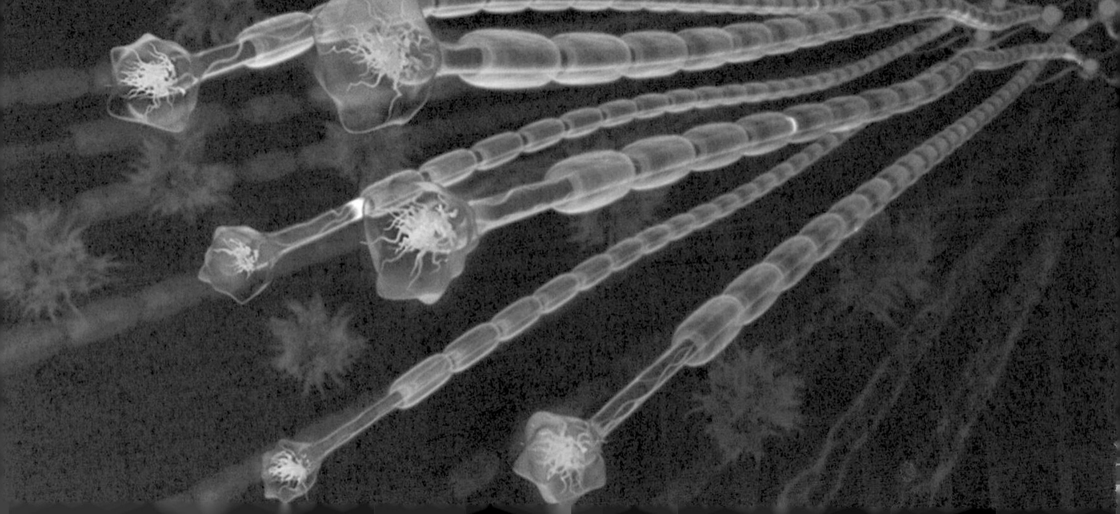

141 | ARTHUR MCDONALD

Tom Davies was a driving force in the Sudbury region as chair of the regional council and was instrumental in obtaining funding for the Sudbury Neutrino Observatory (SNO) back in the 1980s and 1990s. Tom recognized the advantages for the region economically and intellectually and did everything that he could to further our cause. At one point we needed to speak with a provincial Cabinet minister about funding and were having difficulties. Tom said, "He will be in my office next week on another matter. You have an appointment with me at 1:15 p.m. Be there early." At 1:10, the door of the office opened and Tom said, "Oh, look who is here, the scientists from the Sudbury Neutrino Observatory, you remember them." We got our meeting on the spot and a promise of the money. Tom lay in state wearing a SNO tiepin when he passed away at too early an age.

Arthur McDonald, CC, OOnt, ONS is the Director of the Sudbury Neutrino Observatory Institute, and shared the 2015 Nobel Prize in Physics with Takaaki Kajita.

Tom Davies, à titre de président du Conseil régional, était une force motrice de la région de Sudbury. Dans les années 1980 et 1990, il a également joué un rôle de premier plan dans le financement de l'Observatoire de neutrinos de Sudbury (ONS). Tom voyait les richesses de la région tant sur le plan économique qu'intellectuel, et il a fait tout ce qui était en son pouvoir pour faire progresser notre région. Un jour, alors que nous avions de la difficulté à obtenir un rendez-vous avec un ministre provincial pour discuter du financement qui nous était accordé, Tom s'est écrié : « Il sera dans mon bureau la semaine prochaine au sujet d'un autre dossier. Vous avez rendez-vous avec moi à 13 h 15. Arrivez à l'avance. » À 13 h 10, Tom a ouvert la porte de son bureau et a lancé « Oh, regardez qui est là, des scientifiques de l'Observatoire de neutrinos de Sudbury, vous vous souvenez d'eux? ». Et c'est là, sur-le-champ, que nous avons pu discuter avec le ministre en question, qui nous a promis les fonds que nous demandions. Quand Tom nous a quittés, beaucoup trop tôt, il reposait dans son cercueil avec une épingle à cravate de l'ONS.

Arthur McDonald, CC, OOnt, ONS directeur de l'Institut de l'Observatoire de neutrinos de Sudbury, a partagé le prix Nobel de physique de 2015 avec Takaaki Kajita.

IMAGE | Roy Kaltschmidt. *SNO, top left* | *ONS, en haut à gauche*

142 | JOHN DIRKS

Ontario has made it possible for me to lead two important efforts toward improving global health.

The first was to lead a global health network that worked to educate physicians in seventy countries about kidney disease. They became skilled at diagnosing, preventing, and treating kidney disease in people who previously could not be helped. The second was to lead, for twenty-three years, the Gairdner Foundation, which was founded in Ontario. The Canada Gairdner International Award is awarded to the world's best biomedical scientists who come to Ontario and Canada and inspire high school and university students, scientists, and the public. Their discoveries have led to a better understanding of human biology and improvements in fighting human disease. Many later received a Nobel Prize.

The two stories come together in the establishment of the Canada Global Health Award, which recognizes scientists whose work has saved millions of lives from malaria, AIDS, and childhood infections. Ontario is a wonderful place to link widely with the world.

John Dirks, CM is the President and Scientific Director emeritus of the Gairdner Foundation and a member of the Canadian Medical Hall of Fame.

L'Ontario m'a permis de diriger deux activités importantes visant l'amélioration de la santé mondiale.

D'abord, j'ai pu diriger un réseau de santé mondiale destiné à renseigner les médecins de 70 pays sur la maladie rénale. Ces derniers sont devenus qualifiés en matière de diagnostic, de prévention et de traitement de la maladie rénale chez des personnes qui, avant, ne pouvaient être aidées. Puis, j'ai dirigé, pendant 23 ans, la Fondation Gairdner, fondée en Ontario. Le Prix Canada Gairdner en santé mondiale est attribué aux meilleurs scientifiques biomédicaux du monde qui viennent en Ontario et au Canada et qui inspirent les étudiants des collèges et des universités, les scientifiques et le public. Leurs découvertes ont permis de mieux comprendre la biologie humaine et de lutter plus efficacement contre les maladies humaines. Plus tard, bon nombre d'entre eux ont reçu un prix Nobel.

Le Prix Canada Gairdner en santé mondiale reconnaît les scientifiques dont les travaux ont sauvé des millions de vies touchées par le paludisme, le sida et les infections infantiles. L'Ontario est un endroit merveilleux pour établir des liens avec le monde.

John Dirks, CM est le président et directeur scientifique émérite de la Fondation Gairdner; il est aussi membre du Temple de la renommée médicale canadienne.

 IMAGE | MCpl V. Carbonneau, Rideau Hall. *Gairdner Awards, top right 214* | *Les Prix Gairdner, en haut à droite 214*

143 | MOLLY SHOICHET

"Give me a place to stand,
and a place to grow,
and call that land... Ontario"

I grew up wanting it all — career and family. My Ontario gave me the opportunity to achieve that. As I have grown from a stubborn young girl to a determined woman, Ontario has given me the freedom and support to allow my curiosity to flourish, leading to inventions, advancements in knowledge, and new ways of exploring the world around us. With a passion to advance science and solve problems in medicine, my research group at the University of Toronto designs new strategies to overcome devastating diseases like blindness, stroke, and cancer. As a mother of two sons, I realize that we must raise our sons and daughters to value professional women in all careers. My Ontario allows us to dream of a better world. My Ontario makes things happen. Together we can shape our future.

Molly Shoichet, OOnt is an award-winning biomedical engineer and a Co-Founder of R2R (research2reality.com).

« Donnez-moi un lieu où me tenir debout,
un lieu où m'épanouir, et appelez ce lieu...
Ontario »

J'ai grandi en souhaitant tout avoir — une carrière et une famille — et mon Ontario m'a donné la possibilité de réaliser ce souhait. La jeune fille têtue que j'étais est devenue une femme déterminée, et l'Ontario m'a donné la liberté et le soutien requis pour que ma curiosité s'épanouisse et me permette de réaliser des inventions, d'accroître mes connaissances et de découvrir de nouvelles façons d'explorer le monde. Désirant passionnément faire avancer la science et résoudre des problèmes dans le domaine de la médecine, le groupe de recherche dont je fais partie à l'Université de Toronto conçoit des stratégies pour vaincre des maladies dévastatrices, comme la cécité, les accidents vasculaires cérébraux et le cancer. En tant que mère de deux fils, je me rends compte que nous devons enseigner à nos fils et à nos filles à valoriser les femmes professionnelles faisant carrière dans tout domaine. Mon Ontario nous permet de rêver d'un monde meilleur. Mon Ontario fait bouger les choses. Ensemble, nous pouvons façonner notre avenir.

Molly Shoichet, OOnt, cofondatrice de R2R (research2reality.com), est une ingénieure biomédicale primée.

IMAGE | Courtesy Molly Shoichet. *Nerve fibres growing, bottom 214 | en bas 214*

144 | JIM BALSILLIE

Our great young entrepreneurs help make Ontario Ontario. Entrepreneurs add value in the lives of others while simultaneously creating value in their own lives. I have the pleasure of mentoring five of our best scale-up entrepreneurs. They are all brilliant, hard-working, driven, and courageous. Each one of them is fearlessly pursuing global sales for their innovative companies. They are passionate about growing their businesses from Ontario and contributing to Ontario's prosperity. The contribution that entrepreneurs make to our society as job and wealth creators, investors, and philanthropists is, in my mind, the most critical part of our economy. Without the creation of private wealth there is no public wealth. And without public wealth, we can't pay for the kind of society we so value in Ontario. It's an honour and privilege to spend time with, mentor, and learn from the very best innovators in Ontario.

James "Jim" Balsillie is a former co-CEO of Research in Motion, now Blackberry. He serves as the Chair of Sustainable Development Technologies Canada.

Nos fantastiques jeunes entrepreneurs aident à faire de l'Ontario ce qu'est l'Ontario. Les entrepreneurs ajoutent de la valeur dans les vies d'autres personnes tout en créant simultanément de la valeur dans leurs propres vies. J'ai eu le plaisir d'agir à titre de mentor auprès de cinq de nos meilleurs entrepreneurs en développement précommercial. Ils sont tous brillants, travailleurs, motivés et courageux. Chacun d'eux poursuit sans crainte des ventes mondiales pour son entreprise novatrice. Ils sont passionnés par l'idée d'agrandir leurs entreprises depuis l'Ontario et de contribuer à la prospérité de la province. La contribution que font les entrepreneurs à notre société en tant que créateurs d'emplois et de richesse, investisseurs et philanthropes est, à mon avis, la part la plus cruciale de notre économie. En l'absence de création de richesse privée, il n'y a pas de richesse publique. Et sans richesse publique, nous ne pouvons pas payer pour le type de société que nous apprécions tellement en Ontario. C'est un honneur et un privilège de consacrer du temps, d'encadrer les meilleurs innovateurs de l'Ontario et d'apprendre d'eux.

James « Jim » Balsillie est un ancien directeur général de la société Research in Motion, devenue BlackBerry. Il occupe actuellement les fonctions de président de Technologies du développement durable Canada.

IMAGE | John Stillwell, Getty Images. *Queen Elizabeth II, top left* | *La reine Elizabeth II, en haut à gauche*

RIM
CANADA
Atlanta
1192

145 | DONOVAN BAILEY

Athletics has privileged me to travel the globe, meeting many people and seeing how the world sees Canada. I continue to take great pride in representing Canada and Canadians in my philanthropy, my work, and my role as a Sports Ambassador.

My home community of Oakville, a small southern Ontario town by Lake Ontario, is where I grew up. Canadians and my Oakville neighbours have always supported me in my quest to be the fastest man on Earth, a two-time Olympic champion, three-time world champion, and three-time world record holder. This I cherish.

Living in a country that embraces diversity, I hope that we continue to collectively celebrate our strengths which come from our many peoples. Canada has come a long way in one hundred and fifty years; just imagine where we can go.

Our diversity is our strength.

Donovan Bailey, OOnt, a sprinter, is a two-time Olympic champion, three-time world champion, and three-time world record holder.

L'athlétisme m'a privilégié en ce sens qu'il m'a permis de voyager partout dans le monde, de rencontrer de nombreuses personnes et de voir comment le monde perçoit le Canada. Je continue de tirer beaucoup de fierté à représenter le Canada et les Canadiens dans le cadre de ma philanthropie, de mon travail, et de mon rôle en tant qu'ambassadeur sportif.

Ma collectivité natale d'Oakville, une petite ville du sud de l'Ontario, près du lac Ontario, est là où j'ai grandi. Les Canadiens et mes voisins d'Oakville m'ont toujours appuyé dans mon objectif d'être l'homme le plus rapide sur la Terre, deux fois champion olympique, trois fois champion du monde, et trois fois titulaire d'un record mondial. Je chéris cela.

En tant que pays qui adopte la diversité, j'espère que nous continuerons de célébrer collectivement nos forces, qui proviennent de nos nombreux peuples. Le Canada a fait beaucoup de chemin en 150 ans; imaginez jusqu'où nous pouvons aller!

Notre diversité est notre force.

Donovan Bailey, OOnt, un sprinteur, est deux fois champion olympique, trois fois champion du monde, et titulaire de trois records mondiaux.

IMAGE | Gary Hershorn, Reuters. *Donovan Bailey, top right 219 | en haut à droite 219*

146 | DON TAPSCOTT

Among other things my home, Ontario has been a place for innovation. As a liberal arts student at Trent University in the late 1960s, I concluded that the world was in need of profound change and that innovation in everything was critical.

I began my professional career working for Canada's innovation juggernaut Bell Northern Research. We conducted the first controlled experiments on how computers connected to networks could change how we work and the nature of our organizations. This effort was years ahead of its time, but it led me to write my first book (1982) and launch my first company. Fifteen books and half a dozen startups later, I continue to be inspired by how Ontario has embraced the digital economy.

Innovative companies, colleges and universities, and governments the world envies. I believe this province can be the centre of an innovation economy in Canada and maybe internationally. If we will it.

Don Tapscott, CM is a media theorist, bestselling author, and professor.

L'Ontario, où je vis, est entre autres un lieu d'innovation. Alors que j'étudiais les arts libéraux à l'Université Trent vers la fin des années 1960, j'ai conclu que le monde avait besoin d'un profond changement et que l'innovation à tous les égards était essentielle.

J'ai entrepris ma carrière professionnelle au sein de Recherches Bell Northern, le poids lourd de l'innovation au Canada. Nous avons mené les premiers essais contrôlés sur la façon dont des ordinateurs branchés à des réseaux pourraient modifier nos méthodes de travail et la nature de nos organisations. Cette démarche était en avance de plusieurs années, mais elle m'a amené à écrire mon premier livre (1982) et à lancer ma première entreprise. Quinze livres et une demi douzaine de lancements d'entreprise plus tard, je suis toujours inspiré par la mesure dans laquelle l'Ontario a adopté l'économie numérique.

Le monde entier envie les entreprises, les collèges, les universités et les gouvernements qui innovent. Je suis persuadé que cette province peut être au cœur d'une économie axée sur l'innovation au Canada, et peut-être à l'échelle internationale, si telle est notre volonté.

Don Tapscott, CM est un théoricien des médias, un auteur à succès et un professeur.

IMAGE | Steven Evans. *Trent University, 1990s, bottom 219* | *L'Université Trent, les années 1990, en bas 219*

147 | CRAIG AND MARC KIELBURGER

In 1995, we dreamed of building a school for children in Nicaragua. Back then we were twelve and seventeen, respectively, and raising five thousand dollars to build a one-room classroom seemed daunting, but we saw our chance in October at the Thornhill Village Festival. The town generously donated space for a booth, and we brought science fair board and our doghouse transformed into a makeshift display. Our trusty dog Muffin attracted passersby to come over and with fluffy encouragement convinced people to pay seventy-five cents for a can of pop and a good cause.

That afternoon all came together raising enough money for the schoolroom. We've never forgotten that encouragement and generosity and have gone on to build classrooms for over two hundred thousand children around the world and to engage hundreds of thousands here in Ontario. It all started at a small town festival, where people gathered around a doghouse to build a classroom.

Marc Kielburger, CM, OMC and Craig Kielburger, CM, MSM are the Co-Founders of WE, dedicated to shifting the world from "me" to "we".

En 1995, nous rêvions de bâtir une école pour enfants au Nicaragua. Nous n'avions alors que 12 et 17 ans respectivement et recueillir 5 000 $ pour construire une seule salle de classe nous semblait une montagne. Mais, en octobre de cette année-là, le Festival du village de Thornhill nous a donné la chance de réaliser notre rêve. La municipalité nous a généreusement réservé un espace pour monter un kiosque. Nous y avons installé le tableau de notre expo-sciences et la niche de notre fidèle chien, Muffin, transformée en un présentoir de fortune. Muffin attirait les passants à notre kiosque et, avec d'affectueux encouragements, réussissait à les convaincre de débourser 0,75 $ pour une cannette de boisson gazeuse et une bonne cause.

Cet après-midi-là, nous avons récolté suffisamment d'argent pour construire une salle de classe. Nous n'oublierons jamais les encouragements et la générosité du public. Depuis, nous avons bâti des salles de classe pour plus de 200 000 enfants dans le monde et des centaines de milliers d'autres enfants d'ici, en Ontario, participent à ces projets. Tout a débuté grâce au festival d'une petite ville, où des gens se sont réunis autour d'une niche pour bâtir une salle de classe.

Marc Kielburger, CM, OMC et Craig Kielburger, CM, MSM sont les cofondateurs de WE, un organisme qui se consacre à impulser l'altruisme inclusif dans le monde.

 IMAGE | Courtesy WE. *The doghouse booth, 1995, top left* | *Kiosque construit avec une niche, 1995, en haut à gauche*

POP
COKE
GINGER ALE
A&W ROOT BEER
CREAM SODA
C+ORANGE
75¢
ICE COLD POP!
POP 75¢
LL PROCEEDS
to
EE the CHILDREN
ICE COLD POP
75¢
COKE
GINGER ALE
A&W ROOT BEER
CREAM SODA
C+ORANGE
Kids' crusade
Oh No!
What if...
I love Polar Bears

148 | SARAH PREVETTE

Innovation and entrepreneurship are guiding forces in my life. The collaborative essence of the Canadian startup community represents something greater about the ambitious spirit of our nation. Working among passionate individuals, eager to come together to create something bigger than themselves, contributes to the continuing legacy of social progress for which Canada is celebrated.

The current global landscape reveals an increasingly uncertain world, characterized by political instability and intolerance. In such times I find great comfort with Canada's capacity to be a global driver of meaningful innovation and to act as a role model for how a society is empowered by multiculturalism and global perspective. Home to pioneering technology entrepreneurs, inclusive liberal values, and raw enthusiasm for positive change, Ontario is a place where individuals of all backgrounds can thrive and build innovation with impact for many.

At Future Design School we empower young people to see themselves as creative entrepreneurs, emboldening another generation of Ontarians hungry to better our world. Join us on our mission.

Sarah Prevette is the Founder and CEO of Future Design School (futuredesignschool.com).

L'innovation et l'entrepreneuriat sont des forces vives de mon existence. Les jeunes entreprises sont dotées d'un sens inné de la coopération, témoignant de quelque chose de plus grand : l'ambition qui anime notre pays. En travaillant avec des personnes passionnées, désirant créer quelque chose de plus grand qu'elles, nous contribuons au progrès social et à la grandeur du Canada.

L'état du monde est incertain. Il est marqué par l'instabilité politique et l'intolérance. Mon pays me rassure, car il agit comme une force motrice sur la scène mondiale, par ses découvertes significatives et son habileté à montrer comment une société peut miser sur son multiculturalisme et son ouverture sur le monde pour être encore plus forte. Avec ses entrepreneurs avant-gardistes dans le domaine des technologies, ses valeurs libérales d'inclusion, son enthousiasme pour le changement constructif, l'Ontario est l'endroit où tous peuvent s'épanouir et innover au profit d'un grand nombre.

À l'école Future Design, nous incitons les jeunes à se voir comme des entrepreneurs créatifs. Nous favorisons la naissance d'une génération d'Ontariens désirant créer un monde meilleur. Aidez-nous à concrétiser notre mission.

Sarah Prevette est la fondatrice et directrice générale de Future Design School (futuredesignschool.com).

IMAGE | Courtesy FDS, *top right 223* | Gracieuseté de FDS, *en haut à droite 223*

149 | BONNIE SCHMIDT

For me, Ontario is all about people who care enough to get involved and make a difference in the lives of others. Special people who are both patient and impatient. Throughout my life in this province, I have been blessed with support from people who understand that it takes a community to raise a child. People across the province who see big potential in small ideas. People who are patient mentors but who also understand how quickly the world around us is changing. Because of these people, Let's Talk Science grew from a small idea into a national charity that helps children and youth fulfil their potential in this era of innovation and rapid change. The province's defining values of accessibility and equity define our work. Our volunteers continue a legacy of engaging special people who care enough to get involved. I remain deeply inspired and energized by Ontario's people.

Bonnie Schmidt, CM is founder and CEO of Let's Talk Science (letstalkscience.ca).

Quand je pense à l'Ontario, je pense aux gens qui ont assez de cœur pour intervenir et changer les choses dans la vie des autres. Des gens spéciaux qui sont à la fois patients et impatients. Tout au long de ma vie dans cette province, j'ai bénéficié du soutien de gens qui comprennent qu'il faut une collectivité pour élever un enfant. Des gens de partout dans la province qui perçoivent les grandes possibilités qu'offrent de petites idées. Des gens qui sont des mentors patients, mais qui saisissent aussi la rapidité avec laquelle le monde qui nous entoure change. Grâce à ces gens, Parlons sciences est passé d'une petite idée à un organisme de bienfaisance national qui aide les enfants et les jeunes à réaliser leur plein potentiel en cette ère d'innovation et de changement rapide. Les valeurs d'accessibilité et d'équité qui caractérisent la province définissent notre travail. Nos bénévoles poursuivent la tradition qui consiste à mobiliser des gens spéciaux qui ont assez de cœur pour intervenir. Les gens de l'Ontario demeurent pour moi une source d'inspiration et de dynamisme profonds.

Bonnie Schmidt, CM est la fondatrice et directrice générale de Parlons sciences (parlonssciences.ca/fr).

IMAGE | Amy Castell. *Let's Talk Science, bottom left 223 | Visite à Parlons sciences, en bas à gauche 223*

150 | GEORGE IRWIN

As a third-generation Ontarian and owner of a ninety-year-old Ontario company, my family and I have experienced much of our country's one hundred and fifty years. Ontario to us has one of the best home-court advantages anywhere in the world. With our educational system, cultural diversity, freedoms, access to capital, and economic status we have a unique perspective of Canada and how to compete globally. Our geographical presence to the largest market in the world and our multicultural multiplicity allow us to see unique aspects of any market we want to challenge. This advantage has allowed us to develop, manufacture, and sell toy products in over ninety different countries and cultures around the world and has established Toronto as the second-largest source for toy development in the world. Quite an accomplishment for a place called Hogtown one hundred and fifty years ago.

George Irwin is owner of Irwin Toys, which was founded by his family in 1926.

À titre d'Ontarien de troisième génération et propriétaire d'une entreprise ontarienne établie depuis 90 ans, ma famille et moi avons expérimenté une bonne part des 150 ans de notre pays. Pour nous, l'Ontario offre l'un des meilleurs avantages de « terrain à domicile » au monde. Avec notre système scolaire, notre diversité culturelle, nos libertés, notre accès aux capitaux et notre situation économique, nous avons une perspective unique du Canada et de la façon de faire concurrence à l'échelle mondiale. Notre présence géographique sur le plus important marché au monde et notre multiplicité culturelle nous permettent de voir les aspects uniques de n'importe quel marché que nous voulons pénétrer. Cet avantage nous a permis de développer et fabriquer des jouets et de les vendre dans plus de 90 différents pays et cultures du monde entier. Il a établi Toronto en tant que seconde source la plus importante pour le développement de jouets dans le monde. Toute une réalisation pour une place qui s'appelait Hogtown (ville du porc) il y a 150 ans!

George Irwin est le propriétaire de la société Irwin Toys, fondée par sa famille en 1926.

IMAGE | George Garrigues, 1958. *Hula hoop, bottom right 223* | *en bas à droite 223*

The Lieutenant Governor thanks the authors and artists for their contributions,
and is grateful for the assistance provided by the following people and organizations:

La lieutenante-gouverneure remercie les auteurs et les artistes de leurs contributions
et est également reconnaissante de l'aide apportée par les personnes et les organismes suivants :

Gord Dunbar
France Gélinas, MPP | députée
Andrea Holmes
John Honderich, CM, OOnt
Marilyn Field, MSM
Michael Levine
Joanne Meyer
David Nostbakken
Gavin Pitchford
Eric Siegrist
LCol | lcol Ian Sutherland, CD, AdeC
LCdr | capc Albert Wong, CD, AdeC

Archives of Ontario | Archives publiques de l'Ontario
Canadian Heritage | Patrimoine canadien
GO Transit
Historica Canada
Library and Archives Canada | Bibliothèque et Archives Canada (LAC/BAC)
Multicultural History Society of Ontario
Parks Canada | Parcs Canada
Royal Botanical Gardens | Jardins botaniques royaux
Toronto Public Library
The Toronto Star
Westwood Creative Artists
Yorktown Family Services

City of Barrie | Ville de Barrie
City of Brampton | Ville de Brampton
City of Brantford | Ville de Brantford
City of Brockville | Ville de Brockville
City of Elliot Lake | Ville d'Elliot Lake
City of London | Ville de London
City of Mississauga | Ville de Mississauga
City of North Bay | Ville de North Bay
Town of Oakville | Ville d'Oakville
Township of Oro-Medonte | Canton d'Oro-Medonte
City of Oshawa | Ville d'Oshawa
City of Owen Sound | Ville d'Owen Sound
City of St. Catharines | Ville de St. Catharines
City of Stratford | Ville de Stratford
City of Vaughan | Ville de Vaughan

This project has been made possible in part by the Government of Canada.

Ce projet a été rendu possible en partie grâce au gouvernement du Canada.

Royal Botanical Gardens (Burlington). Trillium.

Jardins botaniques royaux, à Burlington. Trillium.

IMAGE | Robert Young. *Faces, overleaf* | *Visages, au verso*